SEULEMENT
SI TU EN AS ENVIE...

Bruno Combes

SEULEMENT SI TU EN AS ENVIE…

roman

© Éditions Michel Lafon, 2016
118, avenue Achille-Peretti – CS 70024
92521 Neuilly-sur-Seine Cedex
www.michel-lafon.com

À celles qui partagent nos vies
À celles qui errent dans nos esprits

Que l'on aime avec passion
Qui nous guident avec raison

À celles que l'on ne rencontrera jamais
À celles que l'on a tant désirées et aimées

Qui nous tendent la main
Qui nous accompagnent vers demain

À celles qui dévoilent nos hier
À celles qui éclairent nos hivers

À vous !

Que l'on croise du regard… sur le chemin
du hasard.

*Un très grand amour, ce sont deux rêves qui
se rencontrent et, complices, échappent jusqu'au
bout à la réalité.*

Romain GARY

– 1 –

Cet hiver-là…

Cet hiver-là sentait le parfum des souvenirs et la nostalgie du temps qui passe. Cette étrange lassitude qui nous envahit parfois et nous attire au bord du précipice du doute.

C'était un samedi matin du mois de février, le gel recouvrait les terres labourées et les bords de route des immenses plaines de la Beauce, situées au sud de la forêt de Rambouillet.

Le soleil réchauffait les endroits les plus exposés et les quelques bosquets d'arbres se couvraient d'un léger brouillard qui, doucement, s'envolait au-dessus de la cime des chênes.

Le ronronnement du moteur du cross-over, l'autoradio calé sur RFM qui distillait les paroles sucrées de *La Vie par procuration* de Jean-Jacques Goldman, « *Des mois des années sans personne à aimer, jour après jour l'oubli de l'amour…* », et les interminables lignes droites maintenaient Camille dans les brumes d'une nuit trop courte.

Elle jeta un coup d'œil rapide au compteur : « *Plus que vingt kilomètres* », constata-t-elle.

D'ailleurs, pourquoi se posait-elle la question ? Cette route, elle l'avait empruntée des centaines de fois, ce trajet, elle le connaissait par cœur : Rambouillet, autoroute A11, sortie direction Orléans, nationale 154.

Camille vivait avec Richard, son mari, Vanessa et Lucas, leurs deux enfants, dans une maison cossue sur la commune de Saint-Rémy-lès-Chevreuse, à quelques kilomètres du château de Versailles.

Les traditionnels embouteillages parisiens avaient laissé place, jusqu'au dimanche après-midi, à une brève accalmie. Le samedi matin était la demi-journée la plus aisée pour circuler.

Elle était attendue pour le déjeuner chez ses beaux-parents et n'avait aucune intention d'arriver en avance, ne serait-ce que de quelques minutes.

La pendule digitale venait de basculer sur un double zéro : 11 h 00.

« *Bien trop tôt !* » pensa-t-elle, la mine renfrognée, tout en cherchant du regard un endroit où s'arrêter.

Camille ralentit et immobilisa sa voiture sur un des nombreux chemins qui longent la N154 ; elle avait envie de marcher seule. Le tableau de bord indiquait une température extérieure de − 1 °C.

En temps normal, elle n'aurait jamais osé, même bien emmitouflée, sortir de sa voiture pour faire quelques pas. Elle était trop frileuse. Mais ce matin, sans se poser de questions, elle enfila son blouson de cuir et releva le col de fourrure. Elle saisit avec délicatesse une fine écharpe de cachemire déposée sur le siège passager, posa sa joue contre le tissu bleu pâle et huma, à plusieurs reprises, les discrets effluves qui s'en dégageaient ; un parfum boisé, poivré, ni masculin, ni féminin : Vivacités de Bach.

Comme pour s'enivrer, les yeux fermés, le nez plongé dans les plis de la soyeuse texture, elle inspira lentement, profondément… Elle enroula l'écharpe autour de son cou et fit un nœud ample avant de remonter la fermeture Éclair de son blouson.

Son fils, affalé de toute sa longueur sur la banquette arrière, dormait profondément. Camille sortit avec précaution tout en prenant garde de ne pas claquer la porte conducteur.

Elle marcha face au soleil ; malgré ses lunettes noires bien calées sur le nez, elle garda les yeux mi-clos.

En bordure du chemin, elle s'assit sur une vieille souche à moitié pourrie par les années et recouverte d'une épaisse couche de mousse.

Après quelques minutes, Camille ressentit une sensation étrange sur ses fesses ; l'humidité avait eu raison de l'épaisseur de la toile bleue délavée de son jean. En se dévissant la tête, elle aperçut de superbes et symétriques auréoles vertes, qui formaient un décor inhabituel et bien visible. Elle se mit à rire en pensant à la tête de sa belle-mère lorsqu'elle découvrirait l'état de son postérieur. Elle aurait pu se changer et, ainsi, présenter une allure plus conforme aux exigences de sa belle-famille, mais aujourd'hui, elle s'en moquait, elle voulait être elle-même. Tant pis pour le jean souillé et peu importe les remarques désobligeantes.

Elle laissa longuement son regard se perdre à l'horizon. À plusieurs reprises, un rictus mélancolique se dessina sur son visage. Camille paraissait à la fois apaisée et tourmentée, confiante et craintive.

Elle vérifia l'heure sur son portable et découvrit que son mari avait essayé de la joindre. Elle écouta rapidement le message :

« *Mes parents t'attendent, j'espère que tu ne seras pas en retard.* »

« *Et toi, m'attends-tu ? Un bisou, une bise, un mot de tendresse... ce serait trop te demander ?* » songea-t-elle, plus énervée que triste.

Touche 3 puis touche 1 : elle supprima le message sans hésitation.

Camille se leva et essuya son jean. Elle ôta le surplus de mousse resté collé avant de se diriger vers sa voiture où son fils dormait encore. Elle n'osa pas le réveiller, même si elle savait qu'il serait particulièrement ronchon quand sa grand-mère le serrerait dans ses bras avec ardeur et démesure.

Lucas était un adorable garçon de huit ans sauf… au réveil.

Elle enclencha la clé ; avant de démarrer, elle retira son blouson et déroula l'écharpe de cachemire qu'elle garda un instant entre ses mains. Une nouvelle fois, elle huma l'odeur si caractéristique qui s'en dégageait puis la déposa sur le siège passager. Camille fit marche arrière, reprit le chemin et s'engagea sur la N154.

Cela faisait maintenant plusieurs mois qu'elle n'avait utilisé aucun des parfums que lui offrait invariablement son mari lors des diverses occasions à fêter. Juste à droite des Chanel, Dior et Yves Saint Laurent, un flacon de verre brun de trente millilitres à l'étiquette beige et ronde, où il était inscrit « *Ajonc, Centaurée, Charme, Marronnier blanc, Mélèze, Moutarde, Olivier* », trônait fièrement.

— C'est quoi ce parfum ? avait demandé Richard un matin de décembre, le regard fixé vers le miroir de la salle de bains.

Une réponse sous forme de question.

— Tu n'aimes pas ?

Il hésita et répondit :

— Je ne sais pas… comment dire… l'odeur est étrange.

Puis une nouvelle question :

— Il aurait des vertus pour « *transformer les ressources intérieures en énergies positives* », tu y crois, toi ?

Un instant de silence, un regard ahuri ; la réponse de Richard fut à la hauteur de son ouverture d'esprit lorsque la conversation se focalisait sur ce qui n'était pas parfaitement cartésien.

— Tu ne crois pas à ces balivernes, tout de même !

Camille baissa la tête ; un sourire résigné apparut au coin de ses lèvres.

— Non, bien sûr, fit-elle, contrariée.

Elle n'avait pas envie de se lancer dans une conversation qu'elle imaginait, à l'avance, stérile.

— Combien as-tu payé ça ? D'ailleurs, c'est un achat ou un cadeau ?

D'une voix mal assurée, elle lança :

— Trente-cinq euros. C'est… c'est Amélie qui me l'a recommandé…

— Quoi, trente-cinq euros, c'est une plaisanterie ! Tu connais le prix des parfums que je t'offre ?

— Oui !

— … En plus, c'est Amélie qui te l'a conseillé !

Il secoua la tête et fit une grimace de dépit.

— Ta fameuse copine : avocate et maintenant fleuriste, quelle réussite !

Vexée, Camille se raidit et questionna Richard.

— Tu n'as jamais songé à m'offrir autre chose ?

— Je sais que tu aimes les parfums, se défendit-il.

Elle préféra ne rien dire, sécha ses cheveux et se maquilla avant de se diriger vers la chambre pour enfiler sa robe déposée sur le lit. Elle revint dans la salle de bains, boucla son épaisse ceinture, passa à deux reprises la main dans ses cheveux bruns puis les laissa tomber sur ses épaules.

Elle saisit le flacon de verre brun, dirigea l'embout vers son cou et appuya à deux reprises sur le vaporisateur. Face à la glace, elle vérifia son maquillage brun doré. À l'aide de son index, elle tapota le contour de ses yeux, comme pour essayer de masquer ses quelques rides naissantes.

Elle embrassa rapidement son mari ; une fois sur le pas de la porte, elle s'arrêta et sans se retourner lança à Richard :

— Tu sais, j'aime aussi les surprises !

Il finissait de se raser ; étonné par la remarque de sa femme, il balbutia quelques mots :

— Comment ?… Pourquoi dis-tu cela ?

Elle répéta avec calme et une certaine lassitude :

— J'aime les parfums… mais j'aime aussi les surprises.

Quelques secondes, aucune réponse.

— …

— Tu ne réponds pas ?

Plus déconcerté que soucieux de rassurer sa femme, il rétorqua avec un aplomb déroutant :

— Des surprises ? J'ai peur de te décevoir. Le parfum, au moins, je suis sûr que cela te fera plaisir.

Contrairement à ses habitudes, Camille répliqua de façon brutale et ironique :

— C'est vrai, tu ne peux pas savoir ce que j'aime, nous nous connaissons seulement depuis plus de vingt ans !

La réponse de Richard fusa, sèche.

— Pourquoi dis-tu cela ?

Elle poursuivit :

— En fait, c'est peut-être ça le problème !

L'agacement de Richard s'amplifia, il haussa le ton.

— Je ne comprends rien ! Que veux-tu dire ?

— Je sais que tu ne comprends rien, cela ne m'étonne pas. Je vais donc te traduire : vingt ans, c'est sans doute bien trop long, la lassitude du temps, voilà tout !

Elle soutint son regard. Richard paraissait surpris, déstabilisé, il tourna brusquement les talons.

Camille savait qu'il ne dirait plus rien et n'insista pas.

Jamais il n'avait accepté de parler, de se confier, d'oser affronter les conflits : des balivernes de *Psychologies Magazine,* se plaisait-il à répéter d'un ton satisfait.

Assise sur le lit, Camille chaussa ses escarpins tout en caressant ses mollets avec la paume de sa main. Un dernier regard en direction de son mari, puis elle enfila son manteau et sortit de la chambre.

La porte de l'entrée claqua, elle partit pour son premier rendez-vous.

Camille était déjà en retard.

La maison de famille

C'est étrange, une maison de famille !

Un lieu rassurant, avec les odeurs et les bruits de notre enfance et, en même temps, l'endroit qui nous impose le passé et nous empêche d'être nous-mêmes.

Une dernière ligne droite, quelques virages, et Camille serait devant les *Vieux Tilleuls,* la « maison de famille », comme se plaisait à le répéter Maryse, sa belle-mère.

C'était une demeure bourgeoise du dix-huitième siècle où les multiples massifs de l'immense jardin, parfaitement taillés, ne laissaient place à aucune improvisation. Tout était nettoyé, ratissé, ordonné, rien ne devait dépasser. Si, par malheur, le courageux mais vieillissant Hubert ne devançait pas les ordres de sa patronne, Maryse s'empressait de l'interpeller et de lui imposer, dans les plus brefs délais, l'utilisation de la tondeuse, du râteau ou du sécateur.

Cela faisait vingt et un ans que Camille connaissait cette demeure, depuis ce jour de septembre 1992 où Richard l'avait invitée à rencontrer sa famille.

L'intérieur de la maison était à l'image des jardins, parfaitement astiqué, frotté, nettoyé et vérifié sans fin. Mathilde, l'épouse d'Hubert, officiait comme « gouvernante », terme officiel décerné par Maryse et qu'elle répétait, à l'envi, chaque fois qu'elle en avait l'occasion.

Trente ans que Mathilde supportait cette étiquette bien pompeuse ; avec le temps, elle s'était habituée.

Le ménage n'avait pas sa préférence ; son univers, c'était l'immense cuisine où les chaudrons de cuivre côtoyaient les robots les plus modernes. Elle pouvait alors donner libre cours à son imagination et créer des plats aussi surprenants que raffinés. Maryse profitait largement des talents de Mathilde pour organiser des repas où elle invitait les notables et les propriétaires terriens de la région. Elle savait qu'à chaque fois, ses invités repartiraient repus et ravis.

Mathilde et Hubert éprouvaient une tendresse particulière pour Camille. Ils avaient connu cette jeune femme timide et empruntée lors de sa présentation officielle à la famille Mabrec. Ils n'avaient pas d'enfant, et les années passant, leur complicité s'était amplifiée jusqu'à devenir un lien presque filial.

Camille avait perdu son père alors qu'elle venait d'entamer sa troisième année de faculté de droit. Elle avait trouvé auprès d'Hubert et Mathilde le soutien qu'elle avait cherché bien longtemps auprès de sa mère, en vain. Trop occupée à son chagrin et à ses plaintes systématiques, celle-ci n'avait jamais apporté à sa fille le réconfort naturel que procure une mère.

Tout à coup, la voix de Lucas se fit entendre ; les yeux encore pleins de sommeil, il demanda :

— Maman, quand est-ce qu'on arrive ?

Camille jeta un coup d'œil rapide dans le rétroviseur et rassura son fils.

— Bientôt, mon chéri, regarde, nous sommes déjà à l'entrée du village.

Lucas s'étira avec lenteur avant de se redresser rapidement. Il interpella sa mère.

— Ma cousine et mes cousins seront-ils là ?

— Bien sûr, lui assura-t-elle.

La question de son fils plongea Camille dans un sentiment diffus d'angoisse, mêlé d'un brin de fatalisme.

Elle allait devoir supporter, une nouvelle fois, la fameuse réunion de famille organisée par Maryse, qui plusieurs fois par an réunissait ses trois fils accompagnés de leurs conjointes et de leurs enfants. Tous étaient déjà présents, y compris Richard et Vanessa, leur fille de seize ans.

Chaque couple s'était installé dans la partie de la maison correspondant aux chambres des trois frères lorsqu'ils étaient enfants. Maryse et Maxime, son mari, avaient fait réaliser d'importants travaux pour que chacun se sente à son aise : deux chambres, des W.-C. et une salle de bains étaient à la disposition de chaque famille.

Camille avait prétexté une réunion importante avec un client pour éviter de supporter son inquisitrice belle-mère et Clémentine, son exécrable belle-sœur, une soirée de plus ; un jour et demi suffirait à la résistance de ses nerfs.

En fait, elle avait passé la soirée du vendredi avec Amélie et Sabine, ses deux fidèles amies depuis leurs études en faculté de droit. Elles se réunissaient régulièrement dans une brasserie des Champs-Élysées, et les plaisanteries, les confidences échangées et les rires replongeaient Camille dans une atmosphère d'insouciance qu'elle ne retrouvait guère ailleurs.

Richard aurait pu facilement vérifier si son rendez-vous professionnel était bien réel ; ils étaient avocats d'affaires dans le cabinet qu'ils avaient créé juste après leur mariage. Mais cela faisait bien longtemps qu'il ne se préoccupait plus de l'emploi du temps de sa femme, ni de ses états d'âme d'ailleurs ; pourtant il l'aimait, à sa façon, mais il l'aimait.

Maxime, son beau-père, entendit le crissement des pneus sur le gravier lorsque Camille entra dans la grande allée qui menait devant les escaliers de pierre. Il sortit sur le large perron et, de loin, fit signe à sa belle-fille de se garer sous le préau, à l'endroit où toutes les autres voitures, rangées comme sur un parking de supermarché, s'alignaient parfaitement.

De toute façon, Camille n'avait jamais eu l'intention de s'avancer jusqu'à l'entrée de la demeure. Maryse aurait eu vite fait d'expédier le véhicule à sa place et d'imposer à Hubert un coup de râteau pour faire disparaître les traces de pneus dans l'épaisse couche de gravier.

Seuls les invités de marque, lors des repas qu'elle organisait, avaient le privilège de s'arrêter en bordure des escaliers.

Maxime était céréalier, propriétaire de plusieurs centaines d'hectares situés sur la plaine de la Beauce, dans les départements de l'Eure-et-Loir et du Loir-et-Cher. Il avait hérité, au décès de sa mère, de la propriété familiale qu'il administrait avec un de ses fils.

Bien qu'il fût à l'âge de la retraite, il gérait encore le personnel, le suivi des récoltes et le stockage des milliers de tonnes de blé et d'avoine.

Eymeric, son fils aîné, officiait comme « trader céréalier ». Il étudiait les marchés mondiaux pour vendre la production de la propriété et même acheter d'autres récoltes au moment le plus opportun, afin de maximiser les bénéfices. Derrière l'écran de son ordinateur, des centaines de tonnes de blé voltigeaient du marché asiatique vers le marché américain, et d'un simple double-clic, il créditait le compte de la propriété de dizaines de milliers d'euros.

Le bureau qu'il occupait était situé non loin de la tour Montparnasse, dans un immeuble aux façades délabrées. Le reste de l'étage était envahi par un stock de chaussures, vêtements et sacs Prada.

Clémentine, son épouse, gérait la distribution de la marque pour la région parisienne. Elle partageait son temps entre le magasin de la rue Montaigne, les tournées régulières dans les autres boutiques et le suivi de Clélia, leur fille de vingt et un ans, qui venait de passer en quatrième année de médecine.

Évan, le fils cadet, avait dix ans de moins que Richard. Il ne ressemblait en rien à ses deux frères, ni physiquement, ni dans ses choix de vie. Il travaillait, du mois de mai au mois d'octobre, comme saisonnier dans les restaurants de la côte languedocienne.

Le reste de l'année, il voyageait avec sa compagne et leurs jumeaux de cinq ans. Vers la fin du mois d'octobre, lorsque les derniers retraités disparaissaient des terrasses de café et des salles de restaurant, ils troquaient leur vieille caravane contre leur voilier amarré à Port-Camargue.

Kalinia, jeune femme d'origine scandinave, comme son nom ne l'indique pas, partageait la vie d'Évan depuis sept ans. Elle avait abandonné sa famille et ses études d'architecte à Stockholm.

Ils s'étaient rencontrés durant l'été 2006. Elle passait trois semaines de vacances avec ses parents et son frère au Grau-du-Roi, station balnéaire proche de Montpellier.

Un après-midi, Évan remarqua cette splendide jeune femme attablée seule à la terrasse du bar voisin. Elle sirotait une grenadine-limonade, à moitié allongée sur sa chaise, profitant des généreux et intenses rayons du soleil méditerranéen. Il n'hésita pas longtemps, se dirigea vers elle et engagea la conversation.

Évan ne savait pas s'il s'agissait du bleu vif de ses yeux, de sa longue chevelure blonde ou de la surface minimale de son bikini rose fluo, mais il se sentit irrémédiablement attiré vers elle.

Dix jours plus tard, les parents de la jeune femme rentrèrent seuls en Suède. Officiellement, elle devait les rejoindre quinze jours après, mais les deux amoureux avaient déjà tout décidé ; elle ne rentra pas à Stockholm. Du moins jusqu'à l'année suivante, où elle fit découvrir à son compagnon son pays et l'ensemble de sa famille.

Évan était un homme attachant, d'une sincère simplicité, jamais un mot plus haut que l'autre. Ses deux frères avaient accepté l'exigence de réussite imposée par leurs parents, et lui-même, jusqu'à l'âge de dix-huit ans, ne s'était jamais rebellé contre leur éducation stricte et stéréotypée. Il obtint même un baccalauréat scientifique avec mention très bien, mais ses années de lycée avaient été pour lui une souffrance insupportable. Quelques jours après la proclamation des résultats, il annonça donc sans crainte à sa famille, comme s'il s'agissait d'une évidence, qu'il ne souhaitait pas poursuivre ses études.

Maryse faillit s'étrangler de surprise et de colère ! Comment un de ses fils osait-il s'opposer à ce qu'elle avait prévu de mieux pour lui ? Tout un programme ! Et c'est bien de cela qu'Évan ne voulait pas : un chemin de vie tracé à l'avance.

Pour Maryse, il ne pouvait s'agir que d'une lubie passagère qui céderait rapidement devant une explication bien ciselée. L'avenir allait lui démontrer qu'elle se trompait lourdement.

Camille appréciait Évan et sa compagne ; ils se voyaient peu mais étaient régulièrement en contact. Kalinia, lorsqu'elle partait rendre visite à ses parents, transitait par Paris. Elle en profitait pour séjourner quelques jours dans la vallée de Chevreuse. Camille lui avait fait découvrir les plus beaux endroits de Paris. Leurs virées, y compris nocturnes, avaient le don d'agacer Richard, mais les deux femmes s'en moquaient. Avec les années, elles étaient devenues complices, confidentes même.

Lorsque Camille ressentait le besoin de se confier, elle trouvait en Kalinia une aide précieuse. La jolie Suédoise possédait un don rare : l'écoute sans jugement. Ses conseils, toujours justes, éclairaient les situations les plus confuses. Elle ne s'embarrassait pas de préjugés, et sa maîtrise imparfaite du français lui permettait de s'exprimer avec beaucoup de liberté. Cela surprenait souvent Camille, qui ne manquait pas de le lui faire remarquer.

– N'importe qui me parlerait de la sorte, il aurait déjà reçu ma main dans la figure… mais pas toi !

– Pourquoi dis-tu cela ? s'étonnait Kalinia, ses grands yeux bleus écarquillés de surprise.

– Pour rien… enfin si ! En quelques mots simples, bruts, mais toujours bien choisis, tu as le don de me jeter à la figure mes contradictions.

– Ah ! Peut-être… Je te dis ce que je pense, voilà tout.

– C'est ce qui me plaît en toi, tu me dis la vérité, simplement la vérité, ce n'est pas toujours évident à entendre… mais c'est bien !

Hubert fut le premier à se diriger vers le préau :

– Bonjour, comment vas-tu ?

Un sourire sincère, généreux, se dessina sur le visage de Camille.

– Bien, ça va… et toi ? demanda-t-elle avant de l'embrasser.

– Tu sais, on fait aller, fit-il en haussant les épaules, plus par habitude que par véritable dépit. Allez, ouvre donc ton coffre, que je m'occupe des valises.

– Hubert !

Lucas venait de se jeter dans ses bras ; le vieux jardinier recula d'un pas pour se rétablir et ne pas s'affaler sur la voiture d'Eymeric.

– Emmène-moi dans ta cabane aux trésors, emmène-moi ! réclama Lucas avec empressement.

La « cabane aux trésors » n'était autre que l'atelier dans lequel Hubert entreposait tous les outils nécessaires à l'entretien des jardins.

Maxime venait d'arriver de son pas lent, presque détaché.

Hubert posa le jeune garçon au sol et lui mit une tape sur les fesses, comme pour l'encourager.

— Allons, va donc embrasser ton grand-père.

Le sourire de Lucas se fit plus forcé, il s'approcha et embrassa Maxime avec application. Le maître des lieux paraissait aussi emprunté que son petit-fils.

Lucas, délivré de son obligation, se dirigea avec Hubert vers la fameuse « cabane aux trésors ».

— Tu vas voir, j'ai des nouveaux outils à te montrer.

Hubert ne boudait pas son plaisir. Avant de disparaître au fond de l'allée, il s'adressa à Camille :

— Ne t'inquiète pas, nous revenons rapidement.

— Pas de souci, profitez-en !

Maxime s'approcha de sa belle-fille, qui n'avait fait aucun pas vers lui. Il mit sa main sur son épaule et lui posa une bise minimaliste sur la joue.

— Bonjour Camille, le voyage s'est bien passé ?

— Très bien, merci.

— Tu veux que je porte tes valises, je vois qu'Hubert les a oubliées.

— Merci, je vais m'en occuper.

L'échange s'arrêta là. Maxime n'insista pas et rejoignit sa femme en train de dresser la table du déjeuner avec l'aide de Mathilde et de Clémentine.

Camille préféra s'éclipser jusqu'à la chambre pour se changer ; les embrassades plus ou moins sincères seraient pour plus tard.

Vanessa, les écouteurs dans les oreilles et les deux pouces virevoltant sur le clavier de son Smartphone, n'entendit pas sa mère. Affalée sur son lit, elle pianotait avec frénésie sur son fil d'actualité Facebook.

Camille entra dans la chambre et haussa le ton afin de se faire entendre.

— Bonjour ma fille !

Vanessa arracha ses écouteurs et s'adressa à sa mère avec la douceur qui caractérise une adolescente que l'on dérange en pleine conversation avec ses centaines d'amis virtuels.

— Ouaiii… bonjour.

Elle se leva, une bise rapide avant de se jeter sur le lit, et de saisir à nouveau son objet magique.

— Vanessa, tu ne peux pas profiter du beau temps au lieu de rester avachie à l'intérieur ?

— Maman, on se caille dehors ! Et puis je suis en pleine discussion, assura-t-elle.

Camille leva les yeux au ciel.

— Je ne savais pas que l'on pouvait être en pleine « discussion » sans parler.

Sa fille ne l'entendait déjà plus. Le mouvement rapide de son pouce venait de reprendre dans le choix des clics « j'aime ».

La réponse à une publication de la plus haute importance semblait la plonger dans un abîme de réflexion : « *Comment dégeler son pare-brise quand on n'a pas de grattoir et qu'on est en retard* ». Le tout accompagné d'un selfie du copain de sa meilleure amie, une bouteille d'eau chaude à la main, qui posait fièrement au volant de sa voiture.

— Tu sais où est ton père ?

Aucune réponse, le volume d'écoute de *J'me tire* de Maître Gims ne permettait pas à Vanessa d'entendre sa mère.

Camille n'insista pas, préférant aller se doucher et se changer ; l'heure du déjeuner approchait.

Richard entra dans la chambre alors que sa femme, encore en sous-vêtements, brossait sa chevelure humide.

— J'ai vu ta voiture, tu es arrivée depuis longtemps ? interrogea-t-il tout en cherchant sa fille du regard.

Elle ne répondit pas tout de suite, s'approcha et l'embrassa.

— Et Lucas, où est-il ? Sa grand-mère l'attend.

Camille n'avait toujours pas prononcé le moindre mot. Elle se dirigea vers la commode où elle venait de déposer ses affaires, et en sortit un pull rouge col en V et un pantalon de lin beige clair.

— Ça te plaît ?

— Quoi donc ? demanda Richard, l'air ahuri.

— Les habits que j'ai choisis, ils te plaisent ? précisa-t-elle.

Richard jeta un coup d'œil rapide à sa femme.

— Euh… oui… très bien, parfait. Tu sais que ma mère n'apprécie guère les femmes en pantalon, tu n'as pas emporté une jupe ?

Contrariée, Camille le fixa du regard et d'un ton ironique déclara :

— Qu'elle s'estime heureuse, ta mère ! Elle aurait pu profiter de mon escapade champêtre, je suis sûre qu'elle préférerait un jean souillé, tu ne crois pas ?

— Quoi ?

— Laisse tomber, mais la jupe c'est niet ! lui opposa-t-elle en jetant sa trousse de maquillage sur le lit.

Richard n'insista pas, il rappela une autre exigence maternelle :

— Nous déjeunons à treize heures, il faudrait que tu sois là un peu avant ; déjà que tu étais absente hier… Et Lucas, mais où est Lucas ?

Camille, tout en s'habillant, répondit, presque détachée :

— Cela fait vingt et un ans que je connais cette maison, et vingt et un ans que tes parents déjeunent à treize heures, je serai à l'heure, ne t'inquiète pas.

— Bien sûr, et Lucas ? répéta-t-il.

— Il est avec Hubert, il ne devrait pas tarder.

— Bon… très bien, je rejoins Eymeric dans le salon, à tout de suite.

Camille finit de sécher ses cheveux ; juste un trait de maquillage pour souligner son regard, elle était prête.

Avant de se diriger vers la salle à manger, elle s'assit un instant sur le bord du lit et fouilla au fond de son sac. Elle saisit son iPhone et fit glisser son doigt sur l'écran pour le déverrouiller ; aucun message. Elle hésita et préféra laisser son téléphone dans la chambre.

Camille et Vanessa s'engagèrent dans le couloir qui conduisait en haut de l'imposant escalier. La main sur la rampe de chêne massif, elles descendirent les larges marches ornées d'un tapis de velours rouge cardinal qui donnait à cet exercice un aspect grave et solennel. Leurs pas lents s'enfonçaient dans l'épais tissu.

Sans savoir pourquoi, chaque fois, Camille comptait à rebours les vingt-quatre marches, comme pour se rassurer ; c'était idiot, elle le savait, mais elle ne pouvait s'en empêcher.

Le brouhaha feutré des voix se faisait entendre dans la salle à manger, dont l'entrée était située à droite de la dernière marche.

Camille invita Vanessa à passer devant elle. Sa fille, les yeux toujours rivés sur son écran, s'installa dans un des fauteuils placés en bordure de la baie vitrée, baignée d'un agréable soleil d'hiver.

Camille, patiemment et consciencieusement, salua d'abord sa belle-mère, puis Eymeric et sa fille Clélia, mais elle ne vit pas Clémentine.

— Ta mère n'est pas là ? s'étonna-t-elle.

— Bien sûr que si ! rétorqua Clélia d'un ton hautain parfaitement naturel.

Camille, un peu gênée, poursuivit :

— Je ne la vois pas, je souhaitais simplement la saluer.

— Elle est en cuisine, elle aide la gouvernante, elle !

Eymeric tenta d'atténuer l'arrogance de sa fille.

— Calme-toi, s'il te plaît.

— Je suis parfaitement calme, papa. J'énonce la vérité, voilà tout !

Eymeric posa sa main sur l'avant-bras de sa belle-sœur et s'excusa de l'impolitesse de Clélia.

— Tu sais, avec ses études de médecine, elle est un peu sous pression, il faut la comprendre.

— Bien sûr, fit Camille d'une voix retenue.

Elle avait tellement envie de lui répondre : « *Ta fille fait ses études depuis quatre ans, par contre elle est chiante depuis vingt et un ans* », mais elle préféra s'éclipser.

La réunion commençait sous les meilleurs auspices. Camille pensait déjà à une seule chose : l'heure du départ, le dimanche en fin d'après-midi.

Elle se dirigea vers Kalinia et Évan qui tentaient, sans grande réussite, de calmer leurs rejetons occupés à déplacer les innombrables bibelots d'un guéridon à l'autre.

La salle à manger était une merveilleuse salle de jeux pour les deux garçons, plus habitués à une totale liberté de mouvement qu'à l'ambiance stricte et rigide de la maison de leurs grands-parents.

Tout en s'approchant, Camille saisit un des deux bambins dans ses bras.

— Mais dis-moi, tu es Anton ou Théo toi ? Je n'arriverai jamais à vous reconnaître.

S'ensuivirent un grand éclat de rire et une réponse d'une parfaite limpidité pour un enfant de cinq ans :

— Moi, c'est Anton, Théo, il est plus petit et… un peu plus blond aussi, ce n'est pas difficile tatie, enfin !

— Évidemment ! déclara Camille, l'air amusé et faussement convaincu.

Elle posa Anton à terre et embrassa les deux frères avant de se diriger vers Kalinia, qu'elle serra dans ses bras avec sincérité et sans retenue.

— Les filles, cool ! Vous savez qu'ici, les effusions sont assez peu appréciées, fit remarquer Évan avec ironie.

— On s'en fiche ! Viens là, toi aussi, que je te serre fort, ça fait un moment, vous me manquiez !

Du haut de son mètre quatre-vingt-dix, par-dessus la tête de Camille, Évan se faisait fusiller du regard par sa mère qui n'appréciait guère la scène.

Maryse et Maxime avaient offert à leurs trois fils, dès leur plus jeune âge, les meilleures baby-sitters, les meilleures écoles, les collèges et lycées les plus réputés et les facultés parisiennes les plus en vue, mais les gestes d'amour et de tendresse étaient inexistants dans la famille Mabrec.

Les récompenses prenaient rarement la forme d'une accolade, d'une étreinte ou d'un simple baiser ! À chaque fois, soit des billets, soit un chèque, certes d'un montant toujours appréciable, se substituaient aux manifestations sentimentales.

Eymeric et Richard en souffrirent profondément, chacun en silence, cloisonné dans les règles parentales. Évan fut le seul à s'extirper de cet irrespirable carcan ; beaucoup plus jeune que ses frères, il profita de « l'expérience » de ses deux aînés et il osa fuir, seule solution qui s'offrait à lui.

À sa grande surprise, ses parents acceptèrent son choix, non sans difficulté. Évan craignit qu'ils ne coupent les ponts : jamais ils ne le firent. Une façon inconsciente de se faire pardonner, peut-être…

Eymeric prit logiquement des responsabilités dans l'entreprise familiale mais, incapable de mener une équipe, il bifurqua rapidement vers la gestion financière. Bien qu'il eût plus de quarante-cinq ans, son père lui fixait toujours, chaque début d'année, des objectifs de rentabilité financière. C'était un homme dont le visage transpirait la tristesse. Il était marié à Clémentine depuis vingt-cinq ans ; une femme comme on en fait peu, mais dans le mauvais sens du terme. Arrogante, aigrie, à l'allure vieillotte malgré son poste de responsable chez Prada.

Clémentine avait toujours détesté Camille ; dès leur première rencontre, la haine naquit en elle.

Elles n'avaient que deux ans d'écart, mais un siècle semblait les séparer. Clémentine paraissait déjà vieille à vingt-cinq ans alors que Camille, au même âge, rayonnait de fraîcheur et de beauté.

Lorsque Clémentine épousa Eymeric, les invités l'appelèrent « madame » dès la sortie de la mairie. Cinq ans plus tard, les mêmes invités eurent du mal à laisser tomber « mademoiselle » pour Camille.

Clémentine portait éternellement des jupes fuseau aux teintes sombres, un chemisier ou un polo toujours de couleur claire, des talons… mais « pas trop hauts », se plaisait-elle à répéter. Pour ne pas abîmer ses chevilles... Enfin, pour couronner le tout, un chignon soigneusement arrondi, saupoudré de fixateur aux odeurs de maison de retraite et piqueté d'une vingtaine d'épingles.

Camille, elle, se sentait bien quoi qu'elle porte : robes, jupes, pantalons, shorts courts ou longs, clairs ou foncés, flashy ou discrets, baskets, sandales, jusqu'aux escarpins aux talons pouvant dépasser les dix centimètres. Elle aimait changer régulièrement d'allure et de coiffure : après une courte période d'ondulation type « mouton », selon l'expression de Vanessa, elle arborait depuis quelques semaines une chevelure brune lissée, presque à l'excès, qui mettait en valeur le vert de ses yeux et son teint légèrement mat.

Clémentine entra dans la salle à manger. Camille fixa sa belle-sœur un long moment avant de s'approcher pour la saluer poliment et sobrement.

— Bonjour, tu as l'air en pleine forme ?

Un sourire ou plutôt une contracture forcée apparut sur le visage de Clémentine. Tête haute et regard glacial, elle tendit son cou à l'image d'une autruche qui hésiterait à passer sa tête derrière une touffe d'herbe inconnue. Elle posa ses lèvres sèches le plus près possible de l'oreille de Camille.

— Très bien, merci ! Je reviens de la cuisine, pauvre Mathilde, elle est débordée.

Kalinia, spectatrice de la scène, murmura à son amie :

— J'ai comme l'impression qu'il s'agit d'un message subliminal...

— Arrête, tu vas me faire rire !

Kalinia insista :

— Tu as vu ! Il faudrait vraiment lui dire un jour que les jupes fuseau serrées avec une culotte à la surface maximale... ce n'est vraiment pas top ! Comment appelles-tu ça, déjà ?

Camille toussota pour tenter de cacher un fou rire naissant.

— Le « syndrome des quatre fesses » !

— Ah oui, c'est vrai, l'élastique qui sépare bien en deux chaque côté... deux fois deux égale quatre fesses... waouh, sexy girl, Clémentine !

— Arrête, je te dis ! Je vais à la cuisine saluer Mathilde et... me calmer.

— O.K. ma belle !

Kalinia se dirigea vers la terrasse pour récupérer ses deux garçons tout en chantonnant à voix basse : « *Oh Baby ! I'm sexy girl ! Oh Baby ! I'm nasty girl !* »

Camille préféra s'éclipser en pressant le pas.

Un long corridor conduisait à la cuisine où les larges portes-fenêtres exposées sud-est laissaient pénétrer la puissante clarté du soleil du milieu de journée.

De chaque côté du couloir, des tentures ornaient les murs de pierre, offrant aux regards cet aspect si particulier des anciennes maisons restées dans leurs ancestrales décorations.

Les propriétaires successifs et leurs familles, emprisonnés sous d'immenses plaques de verre, paraissaient épier et juger chaque visiteur qui osait s'aventurer dans leur demeure.

Camille s'amusait à dévisager ces personnages figés comme des santons dans leur crèche de Noël.

Au-dessus d'un grand chandelier, Richard trônait fièrement à côté de ses deux frères ; la photo datait d'une vingtaine d'années. L'emplacement réservé aux petits-enfants était presque vierge. Seule Clélia posait, raide comme un piquet, son attestation de réussite à la première année de médecine bien en vue à côté de son portrait.

Camille et Kalinia avaient refusé de voir leurs enfants placardés comme un panneau publicitaire familial. Cela avait donné lieu à plusieurs discussions passionnées où chacun défendait avec conviction son avis. Malgré l'insistance de Maryse, appuyée par les tirs de barrage incessants de Clémentine, Maxime comprit qu'il ne fallait pas insister et il imposa sa décision à sa femme. Celle-ci revenait quand même régulièrement à la charge.

Mathilde s'affairait dans la cuisine ; trop occupée à vérifier l'avancée de la cuisson des plats, elle n'aperçut pas Camille, adossée au chanfrein de la porte, les mains croisées derrière le dos et le pied droit replié contre le mur.

Elle se fit le plus transparente possible, elle aurait souhaité que cet instant dure une éternité ; Mathilde, sa « petite mère », comme elle se plaisait à l'appeler si souvent, paraissait heureuse, virevoltant entre les fourneaux et les présentoirs, prête à satisfaire les palais parfois bien ingrats de la famille Mabrec.

— Camille ! Toujours aussi discrète, viens dans mes bras, viens vite !

Les deux femmes s'enlacèrent, dans une accolade aussi naturelle que spontanée.

— Ma « petite mère », tu es toujours aussi belle ! assura Camille tout en posant ses mains sur les épaules de Mathilde qui, amusée, fit un hochement de tête de désapprobation.

— Flatteuse ! À mon âge et avec ce tablier à carreaux maculé de sauce au vin… je ne suis pas sûre d'être dans les meilleures dispositions pour un défilé de beauté.

Camille la reprit dans ses bras et ne dit rien. Quand elle desserra son étreinte, Mathilde lui saisit les poignets.

— Recule un peu, que je te regarde. Tu es superbe… comme à chaque fois. Mais tu as l'air tristounette, tu es sûre que ça va ?

— Oui…

— Ça veut dire « non », ironisa Mathilde.

— Ça va, ça va, répéta Camille sans conviction.

Mathilde n'insista pas, du moins pas pour le moment.

— Ça me fait plaisir de te voir, cela fait bien long-temps que nous n'avons pas eu de tes nouvelles. Ce n'est pas dans tes habitudes.

– Le boulot. J'en ai par-dessus la tête ! Des nouveaux clients à Londres, je fais souvent des allers-retours.

– Évidemment... répondit Mathilde tout en vérifiant la puissance du feu sous l'immense marmite de fonte où mijotait, depuis la veille, un savoureux coq au vin.

– Ton portable ne fonctionne pas à Londres ?

– Si, si, bien sûr...

– Et le... comment dis-tu... Wi-Fi n'existe sans doute pas dans les hôtels anglais ! C'est pourtant toi qui nous as offert l'ordinateur qui se plie en deux, un... ?

– Un portable, Mathilde, un ordinateur portable !

– C'est bien toi qui as créé notre adresse de messagerie : *petitemere@lesvieuxtilleuls.com,* pour nous écrire le plus souvent possible... selon tes dires.

– Oui...

Mathilde s'essuya les mains sur son tablier de cuisine avant de s'exprimer d'un ton contrarié.

– Rien depuis quatre mois, ni un appel, ni un message, ni un courrier !

Camille fit le tour de la table et s'approcha de l'évier où Mathilde venait de déposer deux épaisses laitues romaines. Elle saisit un couteau et commença à trier les feuilles qui craquèrent sous ses doigts. La cuisine devint silencieuse, seul le bruit sourd de la hotte aspirante meublait une atmosphère devenue pesante.

Mathilde connaissait trop bien Camille, elle savait qu'elle avait besoin de parler, de se confier. À plusieurs reprises, elle leva les yeux pour surveiller le moindre regard ou geste qui trahirait une inquiétude inhabituelle. Soucieuse, elle décida de rompre cette apparente tranquillité.

— Tu le sais, mais je te le répète : si tu as besoin de parler, je suis là !

Camille continua sa découpe minutieuse des feuilles de salade les plus longues, puis elle répondit :

— Après le café, en fin d'après-midi, je m'échapperai et je viendrai vous voir, toi et Hubert. J'ai… elle hésita… besoin d'être avec vous.

Mathilde avait envie de lui poser mille questions, de la prendre par la main, de la rassurer, mais la clochette venait de retentir ; la maîtresse de maison donnait le signal du service des entrées.

— Va donc t'installer, lança Mathilde tout en déposant son tablier sur le dos d'une chaise.

Camille s'approcha et caressa le front de sa « petite mère ». Elle essuya de la main quelques gouttes de sueur qui perlaient sous sa chevelure grisonnante.

— Dépêchons-nous, prends donc la corbeille à pain et viens avec moi, cela m'évitera un aller-retour.

Tout en imitant un militaire au salut, Camille saisit le panier en osier.

— Bien chef, je te suis !

Les deux femmes partirent en direction de la salle à manger où chacun venait de prendre sa place habituelle autour de la table.

Le repas se déroula, comme chaque fois, dans une ambiance faussement décontractée. Les rires contrôlés se mêlaient aux regards équivoques ou fuyants.

Les études des petits-enfants occupèrent une grande partie de la conversation. Maryse se lança dans un long monologue, félicitant avec force et exubérance la réussite de Clélia.

— Seulement vingt et un ans, et déjà en quatrième année de médecine ! Suivez son exemple, les plus jeunes, quelle belle réussite, ma chérie ! Tu viendras nous voir à la fin du repas, nous avons une enveloppe pour toi... les autres aussi d'ailleurs.

— Les autres ! grommela Vanessa.

— Oui, tu as quelque chose à dire ? demanda sa grand-mère.

Dans un mélange d'irrespect et de franchise adolescente, Vanessa n'hésita pas. Ses seize ans lui donnaient le courage qui manquait aux adultes.

— Les « autres », comme tu dis, ils ont un prénom : Lucas, Anton, Théo et accessoirement Vanessa.

— Vanessa, arrête, s'il te plaît ! lui ordonna son père.

Camille ne réagit pas, elle paraissait ailleurs.

Elle saisit la carafe de vin qui contenait un château angélus de 1985, une merveilleuse année, où les notes de fruits rouges madérisés côtoyaient les arômes de vanille.

Elle remplit son verre du délicieux nectar, le porta à ses lèvres et but deux gorgées avec un plaisir non feint.

Richard, agacé par le comportement détaché de sa femme, ne tarda pas à l'interpeller :

— Camille, tu as entendu la réflexion de ta fille ?

Elle répondit calmement, presque distraitement :

– Oui !

– Comment ça, « oui » ? Mais enfin, dis-lui quelque chose !

Maryse s'interposa et, sur un ton de matriarche, excusa l'arrogance de sa petite-fille.

– Richard, ne t'inquiète pas, c'est l'âge. À seize ans, qui ne dit pas de bêtises ?

Camille, calmement, prit son verre dans sa main et se leva avant de s'adresser à sa belle-mère.

– Vous savez, à seize ans, on ne dit pas forcément que des bêtises !

Richard essaya de la retenir. Il posa sa main sur son bras, mais elle le repoussa.

– Excusez-moi, je vais prendre l'air quelques minutes.

Camille saisit sa veste déposée sur le dossier du fauteuil et se dirigea vers la porte d'entrée. Kalinia la regarda un long moment à travers les baies vitrées de la salle à manger.

Adossée aux balustres de pierre, elle tirait nerveusement sur une cigarette, son verre de saint-émilion posé à côté d'elle. Elle n'observait rien de précis, son regard divaguait en direction du fond de la propriété où les terres labourées succédaient à d'autres parcelles parfaitement identiques. Rien n'accrochait sa vision, la monotonie du paysage l'incitait à la rêverie.

À quoi pensait Camille ? Son visage ne trahissait aucune émotion. Elle ne paraissait ni heureuse, ni malheureuse, ni présente, ni absente ; comme portée par une fatalité qu'elle n'avait plus envie de subir.

Elle finit lentement son troisième verre de vin. Elle n'avait pas l'habitude de boire de l'alcool ; à de rares occasions, un peu de rosé avec ses copines ou une coupe de champagne lors des soirées parisiennes auxquelles elle se devait d'assister.

Sans trop savoir pourquoi, elle avait jeté son dévolu sur ce merveilleux nectar, mais le manque d'habitude lui avait provoqué un vertige qui ne lui déplaisait pas. Elle venait d'absorber la quantité juste nécessaire pour ne pas ressentir cette angoisse qui la tétanisait à chaque repas aux *Vieux Tilleuls*.

Un sourire apaisé apparut sur son visage.

« Ben ma vieille, si tu te mets à picoler maintenant, et que quelque part ça t'aide un peu, alors pourquoi pas ! » songea-t-elle, amusée.

Elle posa son verre vide et alluma une nouvelle cigarette. Au moment où elle rangeait son paquet dans sa poche, son regard se posa sur le mot « Light » ; elle hocha la tête en signe de perplexité.

« Light, ça me va bien ! Je me fabrique un cancer du poumon light, je deviens une alcoolique light, mon travail me motive façon light, mon mari m'aime light, très light ou plus du tout, mes enfants… je ne sais pas… en fait, tout se barre… mais de façon light. »

Elle tirait de plus en plus nerveusement sur sa cigarette tout en expulsant de grosses bouffées de fumée.

« C'est peut-être ça, vieillir, voir ses rêves et ses espoirs partir, mais de façon light, comme pour mieux accepter le poison insidieux de la monotonie qui vous emprisonne peu à peu. »

Elle écrasa le mégot encore brûlant sur un des balustres de calcaire blanc. Un rond de goudron noir se dessina. Camille jeta le filtre dans les graviers consciencieusement ratissés par Hubert.

« *Cela fera une occasion à la belle-mère de ronchonner, et puis je m'en fous ! Allez, ressaisis-toi ma vieille, Vanessa et Lucas sont là.* »

Machinalement, elle chercha son iPhone dans sa poche. Elle ne se rappelait plus qu'elle l'avait laissé dans la chambre.

« *Plus tard*, se dit-elle, *oui, plus tard.* »

Le repas touchait à sa fin, chacun se levait pour prendre place dans le salon où allaient être servis la pièce montée et le café. Kalinia sortit un instant et se dirigea vers Camille.

— Le dessert ! Devine ce que c'est ?

— Vanille, chocolat, café ! Trente-trois choux de chaque, quatre-vingt-dix-neuf. Et…

Elles se mirent à rire.

— …la centième pièce : les *Vieux Tilleuls* en pâte d'amande, déposée juste au-dessus !

— Bravo ! répondit Kalinia tout en mimant un applaudissement mécanique.

Elles se regardèrent, se mirent à dodeliner de la tête et d'une seule voix déclarèrent :

— « Au moins trois chiffres, les enfants. Cent, c'est le début de la richesse, la pièce montée est le reflet de la réussite de notre famille. »

Kalinia la prit par le bras.

— Tu ne voudrais pas rater la fameuse phrase de Maryse quand même !

— Surtout pas, le chiffre « cent », c'est important, ironisa-t-elle.

Elles prirent deux grandes bouffées d'air frais avant de se diriger vers le salon ; elles avaient besoin de se calmer.

— Allez, c'est parti ! Et puis j'ai faim... et soif, déclara Camille.

Lucas découpa avec amusement la pièce montée. Il servit d'abord ses grands-parents puis, dans un style moins académique, déposa quelques choux dans chaque assiette qui se présentait devant lui. Évidemment, il fit exprès d'oublier sa sœur qui ne tarda pas à réagir et à montrer son mécontentement par un grognement agacé.

— Lucas, tu es lourd... pfff !

— Quoi ? Avance ton assiette au lieu de râler !

— Et voilà, chocolat bien sûr ! Tu sais très bien que je déteste le chocolat.

Camille s'approcha de ses enfants et posa sa main sur la tête de son fils.

— Lucas, arrête donc de faire le bébé.

Elle caressa sa joue et l'embrassa. Elle tendit une autre assiette à Vanessa, dans laquelle elle venait de déposer quatre énormes choux, parfum vanille, recouverts de nougat.

Ses enfants tout près d'elle, Camille se sentait bien. Ils ne disaient rien, trop occupés à déguster, ou plus exactement aspirer, leur assiette de dessert.

Ils étaient pour elle comme une sorte de respiration.

– 3 –

La « petite mère »

Les surnoms qui traversent les années sont révélateurs de l'amour que l'on porte aux personnes à qui nous les offrons. Ils peuvent être amusants, touchants, quelquefois ironiques, mais jamais méchants.

La « petite mère », celle que l'on aimerait tous prendre par la main.

Comme elle le leur avait promis, Camille rendit visite à Mathilde et Hubert. Ils habitaient un logement à l'écart de la demeure principale des *Vieux Tilleuls*. C'était une maison simple, mais cossue. Elle avait été construite deux ans après leur arrivée au domaine.

À cette époque, la famille Mabrec n'habitait pas toujours sur place. Ils partageaient leur temps entre les *Vieux Tilleuls* et leur luxueux appartement parisien, proche de la place de l'Étoile.

Mathilde et Hubert résidaient dans le village de Marlon, situé à quatre kilomètres du domaine. Maryse et Maxime souhaitaient que leur demeure familiale bénéficie d'une surveillance vingt-quatre heures sur vingt-quatre. Hubert n'y voyait pas d'inconvénient, Mathilde n'était pas emballée à l'idée de quitter la maison où elle était née.

C'est Maxime qui eut l'idée de proposer au couple de choisir eux-mêmes le plan de la maison, avec un budget conséquent pour la meubler et la décorer selon leurs goûts. Ils se laissèrent tenter. C'est ainsi que, depuis trois décennies, ils occupaient cette charmante maison construite au beau milieu d'une clairière entourée d'arbres centenaires.

Mathilde et Hubert ne quittaient le domaine qu'une ou deux fois par an, pour leur immuable croisière annuelle et pour la visite à des cousins dans la région lyonnaise, lors des fêtes de fin d'année. S'ils n'avaient pas eu d'enfant, ce n'est pas qu'ils n'en désiraient pas, mais la vie ne leur avait pas offert ce bonheur. Ils vieillissaient, et le manque se faisait ressentir.

Camille comblait parfois ce vide et chacun y trouvait du réconfort, ses deux vieux amis mais elle aussi. Le chagrin perpétuel dans lequel s'était enfermée sa mère depuis la mort de son mari ne lui laissait pas de temps pour s'émouvoir des inquiétudes de sa fille.

Camille resta un moment le nez collé contre la porte. Elle ne frappa pas tout de suite. Hubert, assis dans son fauteuil, regardait un match de rugby du Top 14.

Mathilde venait à peine de rentrer et était allongée sur le canapé. Elle reposait ses jambes gonflées par les allers-retours incessants pour le service à table et les trépignements autour des fourneaux. Ses mollets la faisaient souffrir mais elle devait retourner en cuisine pour le repas du soir.

Camille frappa à la porte vitrée. Hubert, bien trop concentré sur l'euphorie du dernier essai du Stade toulousain, n'entendit pas, mais Mathilde lui fit signe d'entrer.

— Alors, mon « petit père », j'espère qu'ils se prennent la pâtée, les Toulousains ! plaisanta Camille tout en lui cachant les yeux avec ses mains.

Il attrapa ses poignets et les serra avec affection, sans quitter l'écran du regard.

— Pas du tout ! Pas du tout ! répéta-t-il. Les Toulonnais vont perdre et ce ne sera que justice. Le « Stade » est le plus fort, bien évidemment.

— Si tu le dis, alors… ça doit être vrai. De toute façon, je n'y comprends rien, à ces tas de bonshommes rugissants et fumants, affalés et entassés, prêts à sauter sur tout ce qui bouge. Et en plus avec un ballon ovale !

— Arrête tes sottises et va donc t'installer sur le canapé, bougonna Hubert.

Avant de s'asseoir, Camille glissa deux coussins sous les pieds de Mathilde.

– Ça va aider tes jambes à dégonfler, la circulation sanguine se fera plus facilement. Tu devrais le faire régulièrement.

– Tu as sans doute raison, admit Mathilde avec fatalisme.

– Ils ne te ménagent pas, les beaux-parents !

– C'est mon travail, voilà tout.

Camille leva les yeux au ciel, en toute désapprobation. Elle se mit à masser doucement les jambes gonflées de Mathilde.

– Ton travail, ben voyons ! Ça ressemble à de l'esclavage.

– Ne sois pas si dure avec eux, ils sont parfois rigides, mais ils sont justes. Le travail est difficile, la maison est immense, les invités souvent nombreux, le parc est vaste mais nous sommes largement rétribués pour nos efforts.

– Mouais… maugréa Camille tout en continuant son massage lent et profond.

– Que signifie ce « mouais » ?

– Ils m'exaspèrent, je ne peux plus les supporter !

Mathilde réfléchit un moment avant de s'exclamer :

– Juste maintenant !

Étonnée, Camille fixa sa « petite mère » ; elle arrêta son massage quelques instants et bafouilla une réponse :

– Euh… non… je ne sais pas… Enfin… ils sont vraiment pénibles, non ?

– Tu les connais depuis plus de vingt ans, vous n'avez jamais été très proches, c'est vrai. Mais juste ce week-end, tu décides que tu ne peux plus les supporter ?

— Eh bien quoi ? Au moins, je ne change pas d'avis ! répliqua vivement Camille.

Mathilde s'autorisa à reprendre la conversation de la matinée.

— Alors, tu te décides à me dire ce qui ne va pas ?

Hubert, jusqu'à présent imperturbable devant son écran, se retourna, à l'affût d'une hypothétique réponse.

Camille enleva sa veste qu'elle déposa délicatement sur le rebord du canapé. Son visage devint inexpressif ; à plusieurs reprises, elle passa sa main dans ses cheveux comme pour masquer une profonde réflexion. Hubert paraissait inquiet, il lança un regard anxieux vers Mathilde qui lui fit signe de ne rien dire. Ils attendirent plusieurs minutes avant que Camille ne se décide à s'exprimer.

— Je ne suis pas au mieux en ce moment, je me pose pas mal de questions.

Camille tritura entre ses doigts le rebord de la poche de son pantalon de lin, puis compléta sa réponse.

— En fait, je ne sais plus trop où j'en suis. Les obligations professionnelles m'ennuient alors que mon boulot m'a toujours passionnée, Richard m'aime, enfin je crois, mais à sa façon, et ça aussi, je ne le supporte plus. Vanessa grandit, parfois plus passionnée par ses 385 amis Facebook que par sa mère. Lucas, lui, est égal à lui-même, un petit homme attachant.

Mathilde souhaitait en savoir un peu plus. Hubert profita de la mi-temps pour s'éclipser quelques instants.

— Et tes amies, je crois me souvenir que tu t'entendais bien avec elles… comment s'appelle-t-elle déjà, cette jeune femme que tu nous as présentée l'été dernier ?

— Amélie, elle s'appelle Amélie ! « Jeune femme », tu es gentille, nous avons le même âge, je le prends comme un compliment.

— C'est peut-être ça le problème, Camille, uniquement ça !

Mathilde paraissait sûre d'elle.

— Comment ça ? Que veux-tu dire ?

— Ton âge, tu as quarante-trois ans ! insista la « petite mère ».

— Ah non, pas toi ! Tu ne vas pas me sortir le chapitre sur « la crise de la quarantaine ». Enfin, on ne dit plus « la quarantaine ». Maintenant, les psys ont inventé une autre expression tout aussi débile : « la crise du milieu de vie ! »

Mathilde conserva son calme malgré l'air ironique de Camille.

— Si tu sais cela, c'est que tu vas voir un psychologue, je suppose ?

— Oui !

— Depuis quand ?

— Quelques mois, mais quelle importance ?

Camille se crispait de plus en plus. Mathilde garda le même ton posé, presque serein.

— Et… tu te sens mieux ?

— Franchement, non ! Ah si, les comprimés qu'il m'a prescrits sont efficaces.

Contrariée, Mathilde sortit de son apparente tranquillité.

— Ne me dis pas que tu prends ces cochonneries ?

Camille fit une grimace de petite fille avant de confirmer :

— Si, mais seulement quand ça ne va vraiment pas. Si l'angoisse est trop forte, une pilule sous la langue, un quart d'heure après, « la vie chimique » devient plus apaisée pendant quelques heures.

— Ce n'est pas possible ! Il faut te reprendre, ma belle !

— Je sais, mais que dois-je faire ?

Les gestes nerveux de la jeune femme trahissaient un profond tourment. Un point particulier trottait dans la tête de Mathilde, qui n'hésita pas.

— Ça veut dire quoi « Richard m'aime, mais à sa façon » ?

Hubert venait de se réinstaller dans son fauteuil, la deuxième mi-temps commençait. Camille n'y prêta pas attention et continua de se confier.

— J'aimerais qu'il soit plus tendre, plus attentif… plus présent.

— Tu souhaiterais qu'il soit le prince charmant qu'il n'a jamais été ?

— Pourquoi dis-tu cela ?

Mathilde se releva et s'assit contre Camille, prit sa main et la posa sur sa cuisse.

— En fait, tu voudrais qu'il soit… quelqu'un d'autre ?

Camille ne répondit pas. Sans aucune forme de délicatesse, Mathilde lui demanda :

— As-tu un amant ?

— Quoi ?

— As-tu un amant ? Ce n'est pas compliqué, tu réponds par oui ou non !

— Non… enfin…

Mathilde écarquilla les yeux devant cette réponse plutôt ambiguë, et réitéra sa question :

— Oui ou non ? « Non… enfin… », je ne sais pas ce que ça veut dire !

— Je n'ai pas d'amant !

— Tu es sûre ? Tu me fais peur.

Camille se leva et resta silencieuse. Elle se dirigea vers Hubert qui, depuis quelques minutes, n'écoutait que d'une oreille les commentaires du match.

— À demain ! Au fait, Vanessa est-elle venue te saluer ?

Il fit un signe de tête pour lui signifier qu'il ne l'avait pas vue.

— Je lui dirai de passer.

— Laisse-la tranquille ! Elle a autre chose à faire que de venir saluer le vieil Hubert. Je la croiserai sans doute dans le jardin demain, les prévisions météo annoncent un temps splendide.

— Si elle veut bien sortir de la chambre, poursuivit Camille en soupirant.

— À demain, le match m'attend !

Mathilde l'accompagna jusqu'à la porte d'entrée et l'invita avec insistance à répondre à sa question :

— Tu ne m'as pas répondu. Tu es sûre que tu n'as pas…

Gênée, Camille sourit et tout en embrassant Mathilde répondit sous forme de boutade :

— Ne t'inquiète pas, je ne vais pas me perdre dans les bras d'un beau blond musclé avec de magnifiques tablettes de chocolat.

— Camille…

Elle ne la laissa pas poursuivre.

— À tout à l'heure, je viendrai t'aider en cuisine.

Elle fit quelques pas avant de se retourner. La nuit commençait à tomber. Un des lampadaires qui bordaient l'allée de gravier éclairait son visage. La lumière artificielle donnait à sa peau un teint jaunâtre, maladif, qui contrastait avec le vert puissant et électrique de ses yeux. L'atmosphère paraissait irréelle. Camille, figée comme une statue de pierre, dévisageait sa « petite mère » qui n'osait rien dire.

Mathilde n'avait jamais ressenti un tel malaise. Pour la première fois, elle semblait comme anesthésiée, incapable de répondre à l'appel à l'aide de Camille ; elle ne savait que l'assaillir de questions.

Le froid était vif ; les mains au fond des poches de sa veste de laine, Camille baissa les yeux et avoua simplement, d'une voix tremblante :

— Aucun amant… mais… ce n'est pas si simple.

Puis elle disparut en direction des *Vieux Tilleuls*.

Le repas du soir se déroula dans une ambiance plus apaisée. Comme si chacun, las des querelles et des jalousies, souhaitait profiter de l'instant présent. Vanessa avait même fait l'effort de déposer son éternel compagnon sur le rebord de la cheminée, mais sans trop s'éloigner... on ne sait jamais, la connexion au monde doit être disponible.

Camille et Clémentine discutèrent de mode un long moment, ce qui étonna Richard. Cela lui fit plaisir et il ne les interrompit pas.

— Le luxe doit être touché de plein fouet avec la crise ? s'enquit Camille.

— C'est assez paradoxal, mais le chiffre d'affaires est en constante augmentation. La clientèle a changé, elle est plus difficile à gérer. Nous avons beaucoup de nouveaux riches, des Russes et des Chinois. Ils sont parfois capricieux, tout leur est dû, c'est fatigant, expliqua Clémentine de sa voix pointue, très parisienne.

— Super, je suis contente pour toi, la félicita-t-elle.

— Mais dis-moi, j'y pense, cela fait longtemps que je ne t'ai pas vue à la boutique ?

Camille temporisa avant de répondre :

— Oui, c'est vrai... j'ai découvert un autre quartier, avec des boutiques proposant... un style différent.

— Ah, et où vas-tu donc ?

Elle fit glisser entre ses doigts le tissu du polo de Camille.

— Effectivement, tu n'as pas dû dénicher cet article dans tes boutiques habituelles !

— Pourquoi dis-tu cela ?

— C'est atypique, je pense qu'il s'agit d'un produit réalisé en petite quantité, sans doute artisanalement. Je me trompe ?

— C'est vrai ! Bien vu, en même temps, c'est ton métier.

— Alors, quel est le nouveau quartier que tu dévalises ?

— Les boutiques du Marais !

Clémentine leva les yeux d'étonnement, se raidit légèrement et reprit cet air qui lui donnait cette allure rigide, presque guindée.

— Dans le Marais ? Mais c'est le quartier des… enfin… tu me comprends…

Camille comprit tout de suite l'allusion plus que douteuse de sa belle-sœur. Sa réponse fut directe :

— Le quartier des homosexuels ! C'est bien de cela dont tu parles ?

Elle s'était exprimée assez fort, comme pour mieux insister sur son désaccord.

— Chut, allons, doucement !

Eymeric et Richard, qui discutaient de l'heure de départ pour leur footing du dimanche matin, se retournèrent, surpris du sujet de la conversation. Eymeric fut le premier à réagir :

— Mais de quoi parlez-vous ?

— Rien, nous parlons des nouvelles boutiques de mode qui s'installent dans Paris, répondit sa femme qui espérait clore rapidement cette conversation.

— Ah, très bien, fit-il simplement. Il reprit sa discussion avec son frère.

Un silence s'installa avant que Camille ne poursuive la discussion.

— C'est un très beau quartier, j'adore y flâner seule ou avec mes amies. C'est un endroit apaisant avec de nombreuses ruelles où l'on peut, l'espace d'un moment, se croire en dehors du brouhaha parisien.

— Bien sûr, bien sûr...

Clémentine avait déconnecté de la conversation. Elle écoutait à peine Camille qui poursuivit, sans se soucier de la lassitude de sa belle-sœur :

— Je crois que ce que je préfère, ce sont les ateliers d'artistes inconnus cachés au fond d'une cour, au détour d'une ruelle. Je passe beaucoup de temps dans les petites librairies, où l'odeur si caractéristique du papier vieilli me permet de m'évader quelques heures de cette vie si stressante.

Clémentine avait abdiqué ; elle salua rapidement Camille et regagna sa chambre en compagnie de son mari et de sa fille.

Assis dans un des deux fauteuils de cuir, Richard dégustait un armagnac de vingt ans d'âge, la main bien calée enveloppant le fond du verre. Il buvait de petites gorgées, le regard perdu vers les flammes du feu de cheminée qui crépitait généreusement. Sa femme s'approcha et posa sa main sur son épaule.

— Ça va ? lui demanda-t-elle.

Il ne lâchait pas le foyer du regard.

— Je suis soucieux pour un dossier en cours, une affaire difficile.

Elle s'accroupit, le menton posé sur le rebord du fauteuil. Elle tenta de le rassurer, lui chuchotant à l'oreille :

— N'y pense pas jusqu'à demain soir ; dès lundi, tu auras tout le temps, murmura-t-elle tout en caressant son épaule.

— Il faut que j'en parle à Eymeric dès demain, c'est un industriel céréalier, il doit pouvoir me conseiller.

Elle aurait souhaité que Richard prenne sa main, l'embrasse peut-être, se retourne simplement… mais rien ne vint, il était tout entier à son dossier.

— Bien sûr, lâcha-t-elle tout en se relevant. Elle ôta sa main de l'épaule de son mari.

Il finit d'un trait son verre d'armagnac et s'en resservit un autre, avant d'allumer un cigare cubain dont l'épaisse fumée ne tarda pas à emplir le salon.

— Tu ne viens pas te coucher ?

— Non, je vais relire le résumé du dossier.

Elle n'insista pas.

— Comme tu veux, je suis fatiguée, je vais dormir. Tu t'occupes de Vanessa ? Il ne faut pas qu'elle se couche trop tard.

— Oui… nous venons dans quelques minutes, je relis juste ce fameux résumé.

Elle sortit du salon et s'approcha de Lucas qui s'était endormi sur la méridienne, dans le bureau de son grand-père. Elle le prit dans ses bras, monta l'escalier et se dirigea vers la chambre. Elle glissa son fils dans son lit et le recouvrit d'une épaisse couverture.

Dans la salle de bains, face au miroir, elle imbiba généreusement son coton à démaquiller et le fit glisser sur son visage, en insistant sur le contour des yeux. Les cernes gonflés, elle appliqua sa crème antirides, et s'arrêta un instant comme pour mieux détailler les sillons que le temps avait dessinés sur sa peau.

Elle tourna la tête à gauche puis à droite, examina son cou, ses joues, ses tempes puis son front. Seule face à la glace, elle se permit une remarque plus idiote que rassurante :

« *Tu vieillis des deux côtés ! Et là, pas besoin de chirurgie esthétique, tout est parfaitement identique !* »

Elle sourit en pensant que le temps n'avait aucune pitié pour laisser sur les corps les marques des années qui passent, mais que dans son « infinie bonté », il équilibrait les empreintes vieillissantes ; c'était déjà ça.

Elle regarda la petite pendule suspendue au-dessus du miroir ; les quelques minutes annoncées par Richard s'étaient transformées en une demi-heure. Vanessa, une fois de plus, se coucherait bien trop tard, mais Camille n'avait pas envie de se rhabiller, elle était lasse.

Elle plongea sa main dans son vanity-case et attrapa une boîte ronde de couleur verte ; elle l'ouvrit et déposa dans sa main un comprimé sécable. Camille hésita, puis sans trop réfléchir, elle avala le comprimé entier ; elle souhaitait partir ailleurs, et vite, si possible.

Elle s'allongea sur le lit et saisit une version originale de *The Bridges of Madison County* de Robert James Waller.

Elle connaissait par cœur le très beau film que Clint Eastwood avait adapté du best-seller : *Sur la route de Madison*. Stephen, un bouquiniste du Marais, l'avait convaincue de lire ce vieux bouquin aux feuilles jaunies par le temps.

Ses yeux se fermaient tout seuls ; Camille vérifia son portable, aucun message. Elle éteignit la lampe de chevet et ne tarda pas à laisser divaguer ses pensées.

Blottie sous l'épaisse couette, elle songea à Francesca, l'héroïne du film.

« Seulement quatre jours ont suffi à changer sa vie ! »

Elle s'endormit avant que Richard rentre dans la chambre. Il se glissa dans le lit et se colla contre elle, à la recherche d'une satisfaction rapide, silencieuse, presque automatique.

Chaque fois qu'un dossier le préoccupait un peu trop et que le vin, le champagne ou un quelconque alcool fort accompagnait son stress, l'amour mal fait, à la limite du dégoût, était au rendez-vous pour Camille.

L'effet des benzodiazépines l'avait déjà plongée dans un brouillard assez puissant pour que tout se passe rapidement, exactement comme d'habitude, comme dans un cauchemar qu'elle oublierait au petit matin.

Son esprit divaguait. Elle pensa à sa « petite mère » ; elle irait prendre le petit déjeuner avec elle demain matin, simplement pour être avec elle, sentir sa présence.

Richard se retourna et se mit à respirer si fort que la chambre s'emplit d'odeurs nauséabondes de tabac et d'alcool.

Camille replongea dans un sommeil artificiel.

– 4 –

Le bonheur obligatoire

Nous sommes condamnés au bonheur obligatoire, l'expression de tout autre sentiment serait un aveu de faiblesse.

Nous n'osons pas affronter qui nous sommes réellement. Notre existence suit alors un chemin d'épanouissement simplement acceptable. Jusqu'au jour où le chemin se sépare en deux : et là, le choix devient inévitable !

Camille avait fait part à Richard, à de multiples reprises, de son mal-être, de son désir qu'ils se retrouvent tous les deux ; il répondait invariablement :

— Chérie, avec le cabinet à gérer, les relations que nous devons entretenir, nous n'avons pas beaucoup de temps, mais ne t'inquiète pas, je t'aime, tu sais. Et puis, tu ne manques de rien…

Chaque fois que sa femme lui tenait ce genre de discours, Richard finissait invariablement ses réponses par « tu ne manques de rien ».

Comme si une immense maison, deux enfants en pleine santé, un travail reconnu, un compte en banque bien rempli, de nombreux amis dans la bourgeoisie parisienne devaient obligatoirement conduire au bonheur...

Bien sûr, Camille appréciait le confort luxueux de sa maison, mais qu'est-ce que les murs pouvaient être froids, les pièces vides et silencieuses, quelquefois !

Bien sûr, Camille adorait ses enfants, mais elle se demandait parfois ce qu'elle ferait lorsque Lucas imiterait sa sœur et passerait son temps à ronchonner, à pester contre son autorité, à pianoter sans fin sur son Smartphone, et claquerait la porte de sa chambre pour y rester enfermé des heures, des soirées ou des week-ends entiers.

Bien sûr, sa réussite professionnelle était reconnue de tous. Camille avait gagné des procès réputés perdus d'avance. La reconnaissance de ses confrères était bien présente, mais cette gratitude n'était-elle pas une jalousie feutrée prête à jaillir à la moindre faiblesse et à l'écraser inexorablement pour prendre sa place ?

Bien sûr, Camille avait une vie sociale bouillonnante, des soirées où chacun congratulait l'ego de l'autre à grand renfort de coupes de champagne millésimé et de petits-fours de chez Curty's. Mais qui serait là lorsque le vague à l'âme l'envahirait jusqu'à ne plus pouvoir faire semblant, et qu'elle n'aurait plus de force pour les sourires automatiques et les embrassades convenues ?

Bien sûr, Camille ne regardait jamais les étiquettes lorsqu'elle partait dévaliser les boutiques. Les robes de marque, les bijoux, le dernier Smartphone, rien ne faisait suffisamment rougir sa carte bancaire pour qu'elle hésite bien longtemps. Mais peut-on tout acheter ? Évidemment non !

Une robe, un bijou, pour être regardée par qui ? Le dernier iPhone, pour parler à qui ? Le cross-over Toyota, pour partir où et avec qui ?

– 5 –

La part de rêve

Cette part de rêve que chacun porte en soi, doit-on la vivre ? Dès que les rêves basculent dans la réalité, ils s'envolent.

La frustration devient alors un fragment de bonheur, comme si l'attente était plus belle que la rencontre.

Richard était un bon père, parfois maladroit, mais toujours soucieux du bien-être de ses enfants. Il n'avait jamais été proche d'eux physiquement, le contact direct était difficile, certainement les restes de son éducation psychorigide où la moindre émotion était synonyme de faiblesse, où le plus petit câlin représentait une porte ouverte vers un monde inconnu et dangereux.

Richard se sentait mal à l'aise quand Vanessa lui parlait quelquefois de ses amours, de ses chagrins ou de ses états d'âme de jeune fille. Il ne répondait que très rarement et, quand il le faisait, des banalités lui servaient de bouclier, comme s'il ne désirait pas se dévoiler face à sa fille. Il aurait dû puiser dans son vécu pour lui expliquer ou la réconforter, il en était incapable.

Contrairement à son mari, Camille adorait le contact physique. Les longues accolades amicales faisaient partie de ses habitudes. Les énormes câlins avec ses enfants, elle n'en avait jamais assez. Les étreintes et caresses amoureuses n'étaient qu'un vague souvenir, et cela lui manquait.

Elle se souvenait de l'époque où elle flirtait avec Richard, des longues promenades, de son bras autour de sa taille, de la chaleur de sa main qu'elle sentait à travers le tissu de sa robe. Des moments qu'elle ne connaissait plus depuis si longtemps. Richard l'aimait, mais pas comme elle espérait être aimée. Leurs relations intimes étaient devenues de plus en plus espacées.

Quand le stress et l'alcool n'étaient pas au rendez-vous, elle devinait quand même le moment exact où Richard se ferait plus pressant. C'était étrange, mais, malgré les années, elle espérait toujours que le scénario habituel ne se reproduirait pas indéfiniment : sourire un peu niais, quelques baisers et invariablement, direction le lit où, dans une demi-pénombre, elle se laissait aller aux désirs de son mari. Camille y prenait quelquefois du plaisir, mais simulait le plus souvent ; cela permettait de raccourcir les « débats » et d'accélérer la satisfaction de Richard.

Camille s'évadait alors dans un monde fait de sensibilité et de sensualité, l'imaginaire devenait son refuge. Elle inventait des scénarios dignes des plus beaux romans d'amour.

Elle se surprenait à se satisfaire de cette vie amoureuse irréelle, mais si parfaite. Elle construisait chaque scène, choisissait les plus beaux endroits pour ses rendez-vous avec ses « princes charmants ». Elle savait que ce n'était qu'une illusion, mais son esprit avait besoin de se nourrir de désir, d'attente et d'amour.

Combien de fois avait-elle fait ce cauchemar où la même scène se répétait inlassablement : assise sur une plage à la nuit tombée, les jambes pliées et le menton posé sur ses genoux, elle regardait les vagues lui caresser les pieds à chaque reflux de la marée montante. L'eau lui recouvrait les mollets, puis les genoux, elle ne pouvait plus se lever, aspirée par la force du sable qui la retenait. La marée montait inexorablement, sa bouche s'emplissait d'eau salée et d'écume. Elle se mettait alors à suffoquer, son esprit s'embrouillait et les mêmes rêves lancinants revenaient à son esprit :

« Je suis amoureuse, je suis obsédée par cet amour que je ne vivrai peut-être jamais. Je veux avoir mal au ventre de l'attendre, mal à la tête de penser à lui, mal à mes souvenirs que je triture dans tous les sens. Et ce téléphone qui ne sonne

jamais, posé sur cette table dont j'ai fait cent fois le tour. Il sonnera, c'est sûr, je décrocherai, j'entendrai son souffle… et je n'oserai rien dire. Il raccrochera et je recommencerai le même cirque pendant des mois, des années peut-être !»

Une dernière vague, un peu plus forte que les précédentes, finissait de l'étouffer et elle se réveillait en sursaut au beau milieu de la nuit.

« *Ce n'est pas vrai, encore le même cauchemar !* » se disait-elle, la peau moite de sueur et le cœur battant la chamade.

Assise dans le lit, elle pleurait quelquefois. Le plus souvent, elle se levait, avalait un grand verre d'eau glacée, enfilait une veste et sortait sur la terrasse. Elle avait besoin de respirer, d'ouvrir grand ses poumons, comme pour expulser cette écume salée qui l'étouffait encore.

Elle marchait dans le jardin et, lorsque le temps le permettait, s'allongeait sur le banc de pierre et contemplait les étoiles. Une cigarette grillée rapidement finissait de la calmer. Vers 4 heures du matin, lorsqu'elle sentait ses paupières s'alourdir, elle remontait se coucher. Richard ne s'était rendu compte de rien. Camille s'enfonçait doucement sous les draps et se rendormait.

Dring… ! Lundi matin, le réveil venait de basculer sur 6 h 15.

La chambre d'à côté venait aussi de se réveiller.

— Maman !

Camille se tourna vers Richard et lui demanda d'aller s'occuper de Lucas, car, une fois de plus, elle venait de passer une mauvaise nuit. Il fit semblant de ne pas entendre.

Elle se leva et alla chercher son fils qu'elle prit dans ses bras. Elle descendit dans la cuisine et lui prépara un gigantesque bol de céréales.

Tout en glissant une capsule de café saveur *Chili lungo* dans la machine Nespresso, elle ralluma son téléphone déposé sur la table de la cuisine depuis la veille au soir. Aussitôt, le son caractéristique d'un SMS reçu se fit entendre.

Camille se dirigea vers le salon et posa sa tasse fumante sur la table basse. À l'aide de son pouce, elle fit glisser la boîte de réception jusqu'au dernier message : elle sourit, son visage s'éclaira.

Bouquin bien reçu, passe quand tu veux, je t'embrasse !

Lucas était encore seul dans la cuisine ; elle rédigea rapidement une réponse :

Merci, peut-être dans la semaine, bises.

Camille appuya sur l'icône *silencieux* et alla déjeuner avec Vanessa et Richard qui venaient de s'installer autour de la table.

Le lundi matin était le moment de la semaine où Camille et son mari passaient leur temps à secouer leurs deux enfants qui n'avaient aucune envie d'accélérer le rythme.

Vanessa s'habillait avec lenteur alors que son RER B était à peine dans un quart d'heure à la gare de Saint-Rémy-lès-Chevreuse. Elle étudiait dans un lycée privé proche de la station Châtelet–Les Halles ; les cours commençaient à 8 h 15 précises, le trajet durait quarante-cinq minutes.

Depuis sa rentrée en classe de première, au mois de septembre dernier, Richard ne conduisait plus sa fille en voiture à son lycée. Même si cela l'obligeait à se lever un peu plus tôt, elle préférait s'agglutiner dans les transports en commun plutôt que de supporter les énervements et vociférations de son père au volant durant près d'une heure.

Elle retrouvait plusieurs de ses amies durant le trajet ; cette nouvelle organisation lui convenait parfaitement. Cela permettait aussi à Richard de commencer plus tard et de ne pas arriver le premier au bureau.

Bien que travaillant dans le même cabinet, Camille et son mari prenaient chacun leur véhicule afin d'être plus libres pour leurs déplacements personnels.

Avant de regagner son bureau, Camille déposait Lucas à son école située à quelques rues du cabinet d'avocats « Mabrec-Loubin et associés ».

Ils avaient acheté un étage dans un immeuble récent bordant le jardin du Luxembourg. Leurs anciens bureaux, qu'ils louaient, étaient devenus trop exigus et ne correspondaient plus au développement de leur activité.

Le cabinet était composé de six personnes. Camille et son mari travaillaient chacun avec leurs secrétaires attitrées, qui géraient leurs emplois du temps, organisaient leurs rendez-vous et rédigeaient les innombrables courriers enregistrés sur des Dictaphones. Un avocat salarié et un stagiaire en dernière année de droit complétaient l'effectif.

Au début de leur installation, Camille traitait surtout des affaires de divorce, où elle écoutait patiemment et à longueur de journée ses clients rejeter tous les torts sur leur conjoint. Bien évidemment, elle n'en croyait pas un traître mot, mais elle faisait son travail sans se soucier de savoir qui était le bon, la brute ou le menteur.

Richard prenait en charge des conflits de tout genre. Il était le témoin privilégié de la bêtise humaine qui conduisait d'honorables citoyens à débourser plusieurs milliers d'euros à cause d'une haie de rosiers plantée quinze centimètres trop à gauche ou trop à droite.

Après cinq années de ce régime, certes lucratif, mais parfaitement indigeste, ils décidèrent, sur les conseils d'Eymeric, de se lancer dans la défense de sociétés multinationales, d'abord dans le domaine agroalimentaire, puis pétrolier. Depuis deux ans, ils s'occupaient même d'affaires politiques. Camille défendait les intérêts d'un député-maire. Elle avait été recommandée par le P.-D.G. d'une société pétrolière du Cac 40. Accusé d'abus de biens sociaux, le député n'avait pu que constater l'efficacité de Camille quand il avait vu fondre, comme neige au soleil, les indemnités que le procureur de la République avait fixées.

Les causes défendues n'étaient pas forcément très honorables, elles étaient même parfois nauséabondes, mais au moins, les plaidoiries se déroulaient à coups de dossiers techniques, d'expertises et de contre-expertises, ce qui présentait, pour les deux avocats, l'avantage de ne pas être en prise directe avec le mensonge qu'ils défendaient. Autre avantage non négligeable, leurs honoraires avaient doublé en quelques années et leur permettaient un train de vie qu'ils n'auraient jamais imaginé auparavant.

Chaque lundi à l'heure du déjeuner, Camille retrouvait ses deux amies, Sabine et Amélie, dans la même brasserie en haut des Champs-Élysées. Elles avaient déjà passé la soirée du vendredi ensemble, mais elles ressentaient beaucoup de plaisir à se retrouver, quelquefois, plusieurs fois par semaine.

Camille se confiait peu, mais ses deux amies avaient remarqué, depuis plusieurs mois, son changement de comportement.

— Tu vas bien, tu es toute pâle ? s'enquit Amélie lorsqu'elle la vit s'asseoir sur la banquette de velours bleu.

— Oui…

Camille alluma une nouvelle cigarette.

— Tu as reçu mon SMS ? demanda Sabine.

Surprise, Camille saisit son iPhone et vérifia sa boîte de réception. Elle fit défiler ses messages.

— Non, rien, tu es sûre ?

Son amie, toujours prête aux plaisanteries les plus inattendues, répondit avec un air satisfait :

— Je ne t'ai rien envoyé !… Mais comme tu es tout le temps en train de vérifier tes messages… vendredi, tu n'as pas arrêté.

Camille hésita…

— Oui… je vérifiais mes mails du bureau… j'attendais une réponse d'un client.

— À plus de vingt-trois heures ! s'étonna Amélie. Il devait être sacrément important… et tu l'as reçu ?

— Quoi donc ?

— Le mail de ton client !

— Oui… bien sûr, mais… seulement samedi matin.

Camille écrasa nerveusement sa cigarette avant de commander un nouveau verre de sauternes. Elle mit un terme à la conversation avec un agacement assez inhabituel de sa part.

— Je suis fatiguée, le week-end a été pénible chez les beaux-parents. Soyez sympas, ne me prenez pas la tête aujourd'hui !

Sabine et Amélie comprirent que le repas n'allait pas être aussi joyeux que leur virée de la semaine dernière.

— Le week-end familial a été difficile aux *Vieux Tilleuls* ? s'autorisa Amélie.

Camille ne dit rien, comme perdue dans ses pensées.

Les amies sont toujours prêtes aux meilleurs conseils, aux suggestions les plus avisées, aux recommandations les plus sages... Sabine ne tarda pas, croyant détendre l'atmosphère, à prononcer l'imparable affirmation :

— Tu sais, si j'étais à ta place...

L'agacement de Camille se fit plus intense ; elle plissa les yeux et fronça les sourcils tout en triturant le pied de son verre de vin.

— À ma place ! Comment ça, à ma place ? Personne ne peut être à ma place, c'est idiot, ce que tu viens de dire.

— Mais...

— Tais-toi !

Sabine n'avait pas l'intention de se laisser traiter de la sorte et riposta avec force :

— Tu te calmes maintenant... tu nous dis ce qui ne va pas ou alors tu mangeras ton croque-monsieur

76

seule en picolant toute la bouteille de vin blanc doux. Tu auras un superbe mal de crâne toute l'après-midi et tu nous maudiras. Ça te va ?

Camille poussa un soupir, plus par dépit que par réaction aux propos de Sabine.

— O.K., je… enfin… j'ai des soucis en ce moment.

— Professionnels ?

Camille regarda au-dehors à travers la baie vitrée. Deux amoureux passaient devant la brasserie ; ils s'arrêtèrent devant l'immense ardoise où les plats du jour avaient été écrits à la craie, avec application. La jeune femme portait un bonnet et une écharpe de laine épaisse, elle avait froid, trépignait sur place et voulait se réchauffer à l'intérieur ; le jeune homme paraissait moins empressé et la retenait par le bras.

— Tu crois qu'ils vont rentrer ? interrogea Camille.

Sabine et Amélie, qui n'avaient absolument pas remarqué la scène, répondirent en chœur :

— Pardon ?

Les deux amoureux s'installèrent à la table d'à côté ; le jeune homme déplia l'écharpe de sa compagne tandis qu'elle enlevait son bonnet. Elle secoua la tête ; sa longue chevelure blonde s'étala avec perfection dans son dos. Camille remarqua sa beauté, elle ne devait pas avoir plus de vingt-cinq ans.

— Tu es avec nous ?

Camille se retourna enfin.

— Alors, tes soucis, c'est professionnel ? insista Amélie.

— Non !

— Personnel alors ?

— … non, ça va…

— Bon, tu vas nous la cracher, ta Valda, s'obstina Sabine.

— Je ne sais plus trop où j'en suis… je me pose des questions…

— Tu te poses des questions sur quoi ?

Camille n'hésita pas une seconde :

— Sur ma vie !

— Ta vie, comment ça, ta vie ?

— Ai-je fait les bons choix, dans dix ans, je serai quoi ?

Le visage d'Amélie s'illumina, elle avait compris… du moins le croyait-elle. Elle regarda son amie dans les yeux et tout en récupérant avec délicatesse les dernières pépites de son fondant au chocolat, elle affirma :

— C'est la crise du milieu de vie, ma vieille ! Tu n'y peux rien.

Camille se mit à rire, se souvenant de la remarque de Mathilde sur la crise de la quarantaine :

— Ah non, vous n'allez pas toutes me sortir le même chapelet !

— Je t'assure, confirma Sabine, nous passons toutes par là, sauf les crétines qui ne se posent jamais de questions. Regarde Amélie, elle a tout bazardé : son métier d'avocate fiscaliste pour devenir fleuriste, son mari pour prendre un nouvel amant tous les trois mois, et son appartement dans le XVIe pour un studio à Montmartre, et en plus…

— Stop ! imposa Amélie. Je ne suis pas sûre que ce soit la meilleure décision de ma vie. Deux ans après, le bilan est vite fait : revenu divisé par quatre, horaires impossibles, touristes qui défilent la moitié de la nuit sous mes fenêtres. Une vie amoureuse devenue… le néant. À force de vouloir « m'éclater », je suis devenue la bonne copine qui dépanne les mâles en mal de câlins et que plus personne ne prend au sérieux pour une relation stable. Pour finir, il y a ma fille, qui ne veut presque plus me voir, qui passe simplement m'embrasser deux fois par mois au magasin et qui, par la même occasion, me déleste de cinquante euros à chacune de ses visites. Je ne suis pas sûre que je sois le meilleur exemple dans la gestion de la crise de la quarantaine !

— Tu la regrettes, ta décision ? interrogea Camille tout en levant le bras pour demander l'addition.

— Non… devenir fleuriste a toujours été mon rêve, et même si j'ai moins de pognon, je m'en fous.

— Fleuriste, je sais… mais ton mari ?

Amélie haussa les épaules et sans hésiter affirma :

— Je te rappelle que je ne passais plus sous les portes, comme on dit.

— Bien sûr, désolée.

— Ne t'excuse pas, les petites stagiaires auront toujours quelques avantages sur nous : la jeunesse bien sûr, mais surtout des petits seins bien fermes et des fesses rebondies.

Amélie se leva et enfila son manteau.

— Monsieur avait besoin de nouveauté, enfin je crois… !

Depuis quelques minutes, Sabine ne disait rien et suivait la conversation. Les trois amies se dirigèrent vers la sortie. Camille déposa sur le comptoir la coupelle argentée contenant l'addition et un billet de cinquante euros.

— Garde la monnaie, Alain.

— Merci, mes clientes préférées, à bientôt !

Le serveur leur tint la porte.

— Quel charmeur celui-là. Amélie, voilà ton homme, déclara Sabine en pouffant de rire.

— Exact, avec quinze centimètres de plus et quinze kilos de moins !

Avant de se séparer, Sabine attrapa Camille par le bras :

— Ça va avec Richard ?

— ...

— Il te trompe ?

Toujours aucune réponse.

— Il te trompe, c'est ça ?

Camille fit d'abord signe de la tête avant d'affirmer sans aucune hésitation :

— Non !

— Sûre ?

— Oui, Sabine ! Je dois y aller, j'ai rendez-vous à quatorze heures trente à la Défense.

Elle s'éloigna en direction du métro. Sabine ne la quitta pas du regard.

Camille saisit son portable, s'arrêta un instant et sourit avant de s'engouffrer dans le métro, station George-V.

Amélie se retourna vers Sabine et murmura, sur un ton ironique :

— Un mail sans doute... d'un client... !

– 6 –

Six mois plus tôt…

Les choses les plus anodines peuvent parfois changer une vie.

Un message, un appel et tout peut basculer.

Nous devenons les spectateurs de notre destin qui s'évade.

La valeur d'un instant devient alors d'une infinie richesse.

Début du mois d'août. Paris est vidé de ses habitants qui fuient pour deux ou trois semaines l'étouffante capitale anesthésiée par la chaleur.

Camille et Richard partent dans quelques jours en vacances. Ils ont loué une villa dans le bassin d'Arcachon, près du quartier Pereire.

L'activité du cabinet, très calme les mois d'été, permettait à Camille de commencer plus tard le matin, vers 10 h 30. Selon son envie, elle pouvait se prélasser dans son lit ou suer abondamment au beau milieu des décibels de la salle de sport.

Ce matin, son choix fut sportif, avec une demi-heure de tapis et le cours de step dispensé par le superbe Mario qui, depuis des années, s'évertuait à prendre un très mauvais accent italien. Mario s'appelait en fait Hervé, et son véritable accent ressemblait plus à celui d'un titi parisien qu'à celui d'un séducteur vénitien. La plupart des abonnées le savaient, mais c'était leur secret. Cela faisait beaucoup rire Camille de voir les nouvelles et superbes créatures, armées de tops courts et de collants plus flashy et serrés les uns que les autres, se laisser entraîner dans le rêve inespéré d'un regard de braise transalpin. Le beau Mario avait un mot pour chacune. Camille s'y était habituée et elle ne repartait jamais sans son petit compliment chuchoté quelquefois presque au creux de l'oreille :

— Ciao bella, parfait, comme d'habitude ! dit-il ce jour-là.

— Toujours le même, dragueur va ! répondit-elle en posant sa main sur l'épais biceps doré par les séances d'UV.

Après une longue douche chaude, elle repartit fatiguée mais apaisée.

Elle monta avec lenteur les escaliers la conduisant à son bureau, en prononçant à plusieurs reprises un très sincère : aïe ! Une demi-heure après le cours de step, ses mollets lui donnaient toujours la fâcheuse impression que les talons de ses chaussures venaient de s'auto-étirer pour passer de huit à quinze centimètres.

— Bonjour Claudia, rien de neuf ce matin ? lança-t-elle en ouvrant la porte d'entrée du cabinet.

— Bonjour, rien de particulier, répondit sa secrétaire.

Camille s'installa à son bureau et alluma son ordinateur. Elle remarqua un Post-it collé sur le bas de son écran, et l'attrapa par réflexe sans se soucier de ce que Claudia y avait noté.

La relecture d'un rapport de quelques pages l'attendait, cela ne l'occuperait que deux heures tout au plus.

Elle se servit un café et bavarda un long moment avec Claudia, qui venait de s'installer avec son petit ami et recherchait quelques conseils de décoration.

— Nous récupérons le canapé ce soir, IKEA Paris Nord vient enfin de le recevoir !

— Super, et la couleur alors ? interrogea Camille qui lui avait largement conseillé le bleu marine plutôt qu'un marron bien trop classique à son goût.

— Le bleu !

— Bravo, votre compagnon s'est donc laissé convaincre.

Claudia grimaça et dodelina de la tête.

— En fait... je lui ai fait croire que le modèle marron était épuisé.

— Ah d'accord... bien joué ! Bon allez, je vais bosser maintenant.

Camille se dirigea vers son bureau tout en triturant machinalement le Post-it.

— J'allais oublier, lui fit remarquer Claudia. Vous avez reçu deux fois le même appel, hier soir après votre départ puis ce matin vers neuf heures, je venais à peine de m'installer. Le nom et le numéro de portable sont notés, lui précisa-t-elle tout en lui indiquant d'un signe de tête le message qu'elle tenait entre ses doigts.

— Très bien, je m'en occupe. Du travail avant les vacances, surtout pas ! plaisanta Camille tout en dépliant le bout de papier froissé et à moitié collé sur ses doigts.

— Je ne crois pas que ce soit du travail. L'interlocuteur est resté très flou, je pense que c'est personnel.

Camille s'arrêta sur le pas de la porte et lut le message : « *Stephen Lodgers ; 06 .. .. À rappeler si envie !* »

Elle parut surprise.

— Pourquoi avez-vous noté « *À rappeler si envie* » ?

— Eh bien, quand j'ai demandé si je devais vous laisser un message particulier, il m'a simplement dit : « *Dites-lui qu'elle me contacte, mais seulement si elle en a envie.* » J'ai trouvé cela surprenant, mais... Cela ne vous convient pas, j'ai fait un impair ? s'inquiéta Claudia.

Camille ne réagit pas tout de suite ; elle relut deux fois le message.

— Non... non bien sûr, tout va bien, Claudia...

Elle paraissait préoccupée, plongée dans un intense questionnement.

– Vous avez besoin de quelque chose ? s'autorisa Claudia en voyant le visage soucieux de Camille.

Ne recevant pas de réponse, la secrétaire insista :

– Vous êtes sûre...

Camille sembla sortir d'un rêve :

– Que personne ne me dérange jusqu'à midi, aucun appel.

– Mais votre mari est absent pour la journée, vous deviez prendre en charge ses appels, lui rappela sa secrétaire.

– Peu importe, jusqu'à l'heure du déjeuner, je souhaite être tranquille, merci.

Elle referma la porte brusquement.

Le bureau était dans une vague pénombre, les volets croisés laissaient pénétrer une lumière diffuse. Tout en se dirigeant vers une des fenêtres, Camille posa le Post-it sur le dossier qu'elle devait relire.

Elle portait une petite robe courte à fines bretelles, de couleur gris clair ; malgré la chaleur, elle frotta ses épaules dénudées comme si elle voulait se réchauffer. Elle sentit un frisson diffus lui parcourir le corps, une légère chair de poule se dessina sur sa peau. Elle s'approcha de la table réservée à la signature des contrats ; un canapé deux places et un fauteuil single se faisaient face. Camille s'assit sur un des accoudoirs du canapé, et croisa les jambes. Son pied gauche se balançait, rythmé par une douce musique intérieure.

Elle détacha la sangle de ses escarpins rouges et les fit tomber à terre avant de s'allonger.

Elle ne regardait rien de précis, son regard divaguait aux quatre coins de la pièce. Les traits de son visage ne trahissaient aucune émotion, elle semblait calme. Elle regarda le Post-it posé à quelques mètres d'elle :

« Stephen Lodgers, Stephen ! J'ai de la peine à croire que ce soit lui », songea-t-elle.

Elle s'assit, les deux mains posées sur le canapé, prête à bondir. Elle se leva brusquement et marcha pieds nus jusqu'à son bureau. Elle saisit le morceau de papier froissé et relut les quelques mots griffonnés par sa secrétaire, s'attardant sur la fin du message : « … *seulement si elle en a envie* ».

Camille hocha la tête et, en souriant, laissa tomber le Post-it à terre.

Elle n'en était pas consciente, mais elle marchait de plus en plus vite tout en chuchotant :

— Pourquoi veux-tu que ce ne soit pas lui ?… Un nom comme le sien, il ne doit pas y en avoir des dizaines… et puis… : « *Seulement si tu en as envie* », c'est la dernière chose qu'il t'a dite.

Camille se mit à compter sur ses doigts, comme une écolière appliquée qui chercherait à valider le calcul d'une opération. Elle vérifia et retomba sur le même nombre : vingt-sept !

Cela faisait vingt-sept ans qu'elle avait vu Stephen pour la dernière fois, au lycée Grand Air d'Arcachon, en fin d'année de seconde.

Les souvenirs de Camille étaient diffus.

Elle s'assit à son bureau, ses pieds nus frottant le sol d'impatience. Elle saisit son portable et commença à composer le numéro de Stephen, sans oser appuyer sur la dernière touche. Elle hésita encore, son pouce resta figé puis elle raccrocha.

Une nouvelle fois, elle fit quelques pas, puis revint s'asseoir.

« *Non, je ne peux pas l'appeler comme ça ! Que vais-je lui dire ?* » pensa-t-elle, la main crispée sur la souris de son iMac.

Elle saisit *Stephen Lodgers* dans la barre de recherche Google, vérifia l'orthographe et appuya avec assurance sur la touche « entrée ».

« *Images correspondant à Stephen Lodgers* » apparut tout en haut de la liste des résultats de sa requête. Camille parcourut rapidement l'écran, à la recherche d'un visage qui pourrait lui rappeler un souvenir de… vingt-sept ans, et cliqua sur les quatre photos proposées.

Elle s'amusa en découvrant les résultats du moteur de recherche le plus utilisé au monde. D'après Google, *Stephen Lodgers* était soit un charcutier bedonnant d'Ille-et-Vilaine proche de la retraite, soit un jeune fermier spécialiste en élevage de chevaux de race Shetland, soit une femme cadre supérieur dans une compagnie d'assurances, soit… un lien inexistant issu d'une photo d'une devanture d'une librairie ancienne.

« *Ça lui ressemblerait bien, toujours avec ses vieux bouquins !* » se souvint-elle, le regard déjà attiré par un autre résultat de sa recherche :

Stephen Lodgers Bouquiniste-Facebook.

Sa supposition se vérifia dès qu'elle cliqua sur le lien. Elle vit apparaître, comme photo de couverture, les quais de Seine où étaient installées, depuis 1859, les fameuses « boîtes vertes » réservées aux bouquinistes parisiens, vendeurs de livres anciens et d'occasion.

La photo de profil associée ne lui laissa plus aucun doute : il s'agissait bien du Stephen qu'elle avait connu en classe de seconde. Malgré les années, les traits de son visage n'avaient pas changé : le même profil anguleux, les mêmes cheveux châtain clair ondulés, les mêmes yeux bleus surmontés de sourcils fins, et surtout ce sourire à la Simon Baker dans les meilleurs épisodes de *Mentalist*.

Camille parcourut les différentes publications et remarqua une vidéo où il présentait son activité. Il paraissait à l'aise, adossé contre la devanture de son magasin ; sa voix était posée, ses intonations contrôlées. Il parlait lentement, comme pour mieux maîtriser son fort accent anglais qu'il avait conservé depuis toutes ces années. À mesure que la vidéo défilait, les souvenirs revenaient à la mémoire de Camille : le premier regard complice, le premier baiser, tous ces vieux bouquins entassés dans sa chambre et qu'elle n'avait jamais lus, leur séparation si brutale et inexplicable, à part peut-être par les effets de l'alcool et la fierté d'une jeune adolescente qui voulait paraître maline devant ses copines.

Elle marmonna tout en plaisantant :

— Que vas-tu faire maintenant ? Tu appelles Simon Baker ou tu attends la dernière saison de *Mentalist* ?

Camille réfléchissait en triturant la souris de l'ordinateur.

Après de longues minutes, elle décida de ne pas l'appeler. De quoi aurait-elle l'air si elle se jetait sur le téléphone quelques minutes après avoir eu connaissance de son appel ? L'envie d'entendre la voix de Stephen était présente, mais elle préféra simplement laisser une demande d'« ami ».

Elle parcourut rapidement son fil d'actualité, et constata qu'une fois de plus, ses deux amies inondaient de leurs commentaires toujours futiles et parfois… audacieux, la moindre des publications pouvant les concerner.

Sabine, chaque matin, partageait une superbe photo où était inscrite, en lettres de couleur blanche, une citation extraite d'un livre de Paulo Coelho, le célèbre romancier brésilien.

« Ce n'est pas vrai, encore un truc du style "sois bien et tu iras mieux." *Sabine, arrête, s'il te plaît !* » pensa-t-elle.

Camille n'était pas une utilisatrice assidue du réseau social. Elle avait résisté de longs mois à l'obstination de ses amies, mais devant leur insistance, elle avait cédé et ouvert son compte plus pour être tranquille que par goût personnel.

Elle se mit à rire en pensant à la réaction de sa fille lorsqu'elle lui avait appris qu'elle faisait partie du « trombinoscope » mondial.

– Maman, ça ne va pas, que vas-tu faire sur Facebook ?

– Comme toi, ma fille, exactement comme toi !

– Pff, n'importe quoi ! Ce n'est pas de ton âge, c'est nul ! Je ne serai jamais ton « amie », lui assura Vanessa.

Vexée, Camille avait haussé les épaules et répondu calmement :

– Tu es déjà ma fille, c'est amplement suffisant !

Elle relut rapidement le rapport qu'elle devait envoyer en début d'après-midi, sans prendre le temps d'y noter précisément les modifications qu'elle souhaitait y apporter.

Vers 11 h 45, elle sortit de son bureau et déposa la chemise bleue sur le bureau de Claudia :

– Je vous ai envoyé le fichier par mail, merci d'y inclure mes corrections et de transmettre le rapport avec une lettre d'accompagnement à maître Blondel.

Claudia écarquilla les yeux et répondit avec étonnement :

– D'habitude, c'est vous qui vous en occupez !

– Je sais, mais… je vous fais confiance. Vous verrez, il y a très peu de corrections.

– Un client de votre mari a appelé, cela semblait urgent. Je lui ai promis que vous le contacteriez en fin de matinée.

– Qui est-ce ?

— M. Duronin, c'est au sujet du dossier avec les céréaliers espagnols.

Camille leva les bras de dépit.

— Ah non, pas Duronin maintenant ! Je vais avoir droit à tous les malheurs de sa famille avant qu'il évoque le dossier.

— Mais… à quelle heure êtes-vous de retour, quatorze heures comme d'habitude ? s'inquiéta Claudia.

— Sans doute… quinze heures maximum.

Camille traversa le hall du cabinet et ouvrit la porte, puis se retourna un instant :

— Les bouquinistes, c'est bien sur les quais autour de l'île de la Cité et de l'île Saint-Louis ?

Claudia eut un moment d'hésitation, tellement la question lui semblait hors de propos.

— Oui… enfin je crois.

— En cette saison, savez-vous s'ils exposent ?

— Euh… toute l'année sauf l'hiver, quand il fait trop froid, si mes souvenirs sont exacts. J'y accompagnais mes grands-parents quelquefois.

— Parfait ! lança Camille tout en calant sa paire de Ray-Ban Erika dans ses cheveux.

La porte claqua, et elle partit en direction des quais de Seine.

– 7 –

Les quais de Seine

La flânerie d'une promenade sur les quais de Seine, quel bonheur ! Le corps se relâche, l'esprit s'évade.

Le ronronnement des bateaux-mouches, le cliquetis des flots sur le rebord des quais, tout incite à la détente.

Les amoureux s'enlacent et se jurent l'éternité. La nuit passera et le fleuve engloutira leurs promesses.

Lorsqu'elle arriva en vue de l'île de la Cité, Camille aperçut les « boîtes vertes » des bouquinistes, scellées sur les rebords de pierre des quais parisiens. La plupart des libraires étaient absents ; certains n'exposaient pas en cette période, d'autres déjeunaient tranquillement à la terrasse des plus proches brasseries, profitant d'un instant de fraîcheur dans la canicule de l'été parisien.

Quelques touristes déambulaient, à la recherche de livres et de cartes postales anciennes. Un homme âgé, à la barbe blanche et au dos voûté, tenait le premier stand où un groupe de Chinois marchandait avec insistance une collection de photos de la capitale datant des années 1950.

Camille assista à la scène avec beaucoup d'intérêt. Elle travaillait à Paris depuis près de vingt ans et, pour la première fois, elle découvrait une atmosphère d'une étrange et inhabituelle sérénité. Le temps semblait suspendu.

Entre les rendez-vous professionnels, le stress pour ne pas arriver en retard à la sortie de l'école de Lucas et les interminables trajets en voiture lorsque la journée de travail se terminait enfin, Camille n'avait jamais vraiment pris le temps d'apprécier les moments et les lieux de calme que pouvaient offrir certains quartiers de Paris.

D'ailleurs, elle n'avait jamais pensé que cela pouvait exister, ou plus exactement, elle ne se l'était jamais autorisé.

Elle ne s'était jamais permis grand-chose de personnel, bien trop soucieuse de satisfaire les désirs de ses proches et de ses clients. Elle travaillait, s'occupait de ses enfants, tentait d'avoir une vie de couple le plus épanouie possible, gérait l'entretien et l'intendance de sa maison.

Elle attendait sans trop se poser de questions les week-ends, la semaine de ski à Courchevel, les vacances d'été, comme les seules récompenses de son travail et de son dévouement aux autres.

Le vieil homme venait de conclure la transaction avec ses acheteurs asiatiques qui repartaient satisfaits, persuadés que la ristourne obtenue était des plus avantageuses. Camille s'approcha ; le bouquiniste finissait de plier les deux billets de cinquante euros avant de les glisser dans sa poche. Il arborait un sourire satisfait, la marge qu'il venait de réaliser le contentait pleinement.

— Bonjour monsieur !

— Oh, ma petite dame, pas de « monsieur » ici, Simon suffira ! dit-il d'une voix faible mais assurée.

— Oui… enfin… Elle hésita tout en feuilletant un bouquin à sa portée.

— Je suis sûr que c'est une des premières fois que vous venez vous balader par ici. Je me trompe ? lui demanda-t-il.

— Non, mais pourquoi dites-vous cela ? répondit-elle avec étonnement.

— Cela fait bientôt quarante ans que je reste collé à mes « boîtes », alors je fais vite la différence entre les visiteurs, les acheteurs, les curieux et même les nouveaux… comme vous !

— En fait, j'aurais besoin d'un renseignement, je suis à la recherche d'une personne.

Le vieil homme fit une grimace et rétorqua d'un ton amusé :

— Le 36, quai des Orfèvres, ce n'est pas loin, vous savez !... Je plaisante, petite dame, comment pourrais-je vous aider ?

— Je suis à la recherche de quelqu'un qui... elle hésita... enfin, d'un bouquiniste.

— Vous êtes au bon endroit, ça, c'est sûr ! Mais nous sommes près de deux cents exposants, si vous connaissez le nom de la personne, je peux sans aucun doute vous aider.

Camille porta son regard le long du quai. Malgré ses lunettes de soleil, Simon perçut son trouble.

— Lodgers, Stephen Lodgers, dit-elle le plus rapidement possible d'une voix presque étouffée.

— Comment dites-vous ? Roger ?

— Stephen Lodgers, répéta Camille tout en fouillant dans son sac comme pour se donner une contenance.

— Stephen, bien sûr ! s'exclama le vieux bouquiniste.

Elle s'arrêta presque de respirer, attendant la suite.

— Quel jour sommes-nous ? Jeudi... oui, jeudi, il est donc absent. Il est rarement présent sur les quais, parfois en début de semaine.

Camille eut un soupir de soulagement ; qu'aurait-elle fait si Stephen avait été là ? Aller le voir, certainement pas, l'observer, sans doute. Simon lui indiqua le stand de Stephen, situé un peu plus en contrebas sur le long du quai.

— Vous n'avez pas de chance ! Alan, son jeune associé, est également absent. Il doit être en pause repas à la brasserie, indiqua Simon en pointant son doigt en direction de la place Saint-Michel.

Camille hésita.

– Je reviendrai.

– Vous souhaitez peut-être les coordonnées de ses boutiques ? lui proposa le vieil homme.

– « Ses » boutiques ? s'étonna-t-elle.

– Mais dites-mois, vous ne connaissez pas Stephen ?

Camille, cherchant ses mots, se mit à bafouiller.

– Si… c'est une ancienne connaissance.

– Très ancienne alors, s'amusa Simon. Ça fait sept ans qu'il vadrouille entre Paris et Londres !

Le vieil homme, tout en s'asseyant à l'ombre sous son parasol de fortune, compléta son propos d'un ton nostalgique.

– Il a la belle vie, Stephen ! Quand les Parisiens deviennent insupportables, les Londoniens lui remontent le moral, et quand les Londoniens… enfin, vous avez compris. Et puis, je vous embête avec tout ça !

– Non, pas du tout, je vous remercie… je reviendrai peut-être en début de semaine prochaine.

– Peut-être ? À votre bon plaisir, petite dame, passez me saluer si vous repassez par ici.

Camille le remercia.

Avant de se diriger vers le boulevard Saint-Michel, elle prit le temps de s'asseoir à la terrasse d'un café pour y grignoter une salade accompagnée d'un verre de bandol rosé bien frais.

Camille repensa à son attitude depuis qu'elle avait pris connaissance des appels de Stephen. Pourquoi avait-elle réagi de la sorte ? Sa réaction lui parut disproportionnée. Un simple message d'une ancienne connaissance, et la voilà partie à arpenter les quais de Seine. Et s'il avait été présent, qu'aurait-elle dit ? Peut-être une phrase du style : « *Bonjour, je suis Camille, tu sais, celle qui te collait aux intercours, qui t'a viré et qui, vingt-sept ans après un simple message de toi, part à ta recherche !* »

Elle n'avait pas faim, maltraitant sa salade comme si elle souhaitait exorciser sa bêtise.

Elle commanda un café accompagné de trois cannelés cocktail qu'elle dégusta quand même avec application. Une cigarette vite allumée et vite grillée, elle se sentait idiote.

Elle ne s'attarda pas, préférant rentrer à son bureau rapidement et reprendre ses habitudes. Des tas de choses à régler l'attendaient avant le départ en vacances prévu pour le week-end prochain.

— Déjà là ? Je vous attendais plus tard, s'étonna Claudia, rassurée.

— Oui... il faisait beaucoup trop chaud, j'ai préféré rentrer. Et puis, je n'allais pas vous laisser seule avec le dossier Blondel. Où en êtes-vous ? demanda-t-elle.

Claudia se propulsa en arrière dans son fauteuil tout en écartant les bras.

Camille constata l'étendue... des dégâts. Sa secrétaire avait imprimé l'ensemble du dossier, étalé en vrac sur son bureau. Elle essayait depuis son départ de déchiffrer ses annotations.

— Bon allez, j'arrête votre supplice. J'ai le temps, je reprends tout cela, préparez simplement le courrier d'accompagnement, proposa Camille tout en reclassant le dossier dans son ordre d'origine.

— Désolée… mais…

— Pas de souci, Claudia, je m'en occupe. J'oubliais, appelez Duronin et transférez l'appel dans mon bureau. Je vais essayer de le rassurer, Richard aura un dossier de moins à gérer.

— Bonjour, monsieur Duronin, comment allez-vous ? Oui bien sûr, je comprends…

Camille régla son téléphone en mode haut-parleur, prête à écouter avec plus ou moins d'attention les plaintes personnelles du céréalier. Elle en profita pour commencer à saisir les corrections de son dossier sur son ordinateur.

— Votre femme… doit subir des examens complémentaires… évidemment, vous avez tout à fait raison… rien ne doit être laissé au hasard.

Camille n'écoutait que d'une oreille ; elle espérait que Duronin ne tarderait pas à évoquer la raison de son appel. Il s'agissait d'un client important du cabinet, et cela valait la peine de supporter le listing détaillé des examens médicaux de madame !

Tout en saisissant les premières corrections sur son dossier, elle entendit le bruit caractéristique signalant l'arrivée d'un message privé sur son iPhone.

« *Sabine, oh non, pas maintenant !* » se dit-elle.

Elle se connecta sur son Apple :

Stephen Lodgers : demande d'ami confirmée.

— Bien sûr, monsieur Duronin, les meilleurs spécialistes sauront vous répondre. Le check-up médical se poursuivait.

Vous avez un message !

La bulle de discussion apparut :

Merci Camille ! J'ai consulté ton profil sympa ! Viens visiter ma librairie, j'ai des tas de nouveaux livres !

Tout en évoquant enfin, avec son client, le côté juridique de son appel, elle parcourut, à plusieurs reprises, le fil d'actualité de Stephen.

— Évidemment, monsieur Duronin, mes amitiés à madame !

Camille poussa un soupir de soulagement ; malgré sa méconnaissance du dossier, elle avait su rassurer le céréalier et... connu, en détails, l'état de santé de la famille.

Débarrassée de Duronin, elle relut calmement le message de Stephen, les coudes posés sur son bureau, le menton appuyé sur la paume de ses mains... et la mine renfrognée. Elle paraissait contrariée.

« Sacrément gonflé, le Stephen ! Il pense que l'on ne s'est pas vu depuis combien de temps ? Trois jours ou vingt-sept ans ! Pour qui se prend-il, celui-là ! » pensa-t-elle.

Elle se déconnecta et reprit la correction de son dossier.

– 8 –

Les traces de l'absence

Le temps n'efface rien, il transforme simplement les souvenirs en petits fragments : les traces de l'absence.

L'image d'un visage, le son d'une voix, un lieu familier, un parfum que l'on croit reconnaître, la chaleur diffuse d'une caresse : tout est là, à portée de main… et pourtant si loin !

— J'en étais sûr, nous aurions dû partir plus tôt ! s'exclama Richard tout en tapant de rage sur son volant alors que sa voiture venait de s'immobiliser dans une des longues files d'attente de la barrière de péage de Saint-Arnoult.

— Prends donc la voie réservée au télépéage, c'est toujours plus rapide, lui conseilla Camille.

— Sauf que les week-ends de grands départs, les voies réservées ne le sont plus, ils sont idiots ces régulateurs, complètement débiles même !

— Calme-toi ! Ça ne sert à rien de s'énerver, de toute façon, nous avons six cents kilomètres à faire jusqu'à Arcachon, autant le prendre tranquillement.

— Si ta fille ne nous avait pas retardés de plus d'une heure ce matin, nous ne serions pas bloqués dans cet enfer !

Elle saisit son mari par le bras ; elle n'avait pas l'intention, durant le voyage, de l'entendre pester contre la circulation, la chaleur, les aires de repos bondées, les plaintes des enfants ou tout autre sujet qui conviendrait à son défoulement.

— Ma fille, comme tu dis, c'est aussi la tienne ! Cela faisait trois jours qu'elle m'assurait que sa valise était prête.

— Elle te mentait, bien évidemment !

— Toi qui te crois si fort, tu n'avais qu'à vérifier ! Et puis, change cette radio qui ne fait que répéter, tous les quarts d'heure, la liste des bouchons : trois cent cinquante kilomètres à dix heures, quel bonheur !

Richard souffla de dépit, les voitures avançaient au pas. Les barrières de péage semblaient jouer un ballet bien étrange : je me lève, tu passes, je me ferme, tu ne passes plus !

Lucas commençait à se trémousser tandis que Vanessa, la tête posée sur le rebord du siège, bouche ouverte, était plongée dans un profond sommeil, les écouteurs enfoncés dans les oreilles.

— Papa, j'ai envie de sortir, j'en ai marre.

— Après le péage, je m'arrêterai à la première aire de repos.

Lucas insista :

— C'est quand, papa ?

Richard leva les yeux, agacé.

— Camille, occupe-toi de ton fils, s'il te plaît.

La journée de voyage fut éprouvante, les ralentissements succédèrent aux arrêts complets. L'entrée de Bordeaux arriva enfin, plus que soixante kilomètres, il était déjà 18 heures. La circulation sur le pont d'Aquitaine et la rocade bordelaise était dense, à la limite de la saturation. Pour rejoindre l'A63 en direction de l'Espagne et d'Arcachon, Camille, qui venait de prendre le volant, mit plus d'une demi-heure pour parcourir quinze kilomètres.

Finalement, à la sortie sud de la ville, les longues lignes droites des Landes et les premières forêts de pins maritimes apparurent ; les derniers ronds-points de l'entrée d'Arcachon furent négociés plus rapidement que prévu.

Camille se gara devant la maison qu'ils louaient pour deux semaines. C'était une demeure spacieuse faisant face à la plage de Pereire.

Depuis la terrasse du premier étage, la vue était magnifique : à gauche la dune du Pilat et le banc d'Arguin, en face le Cap Ferret, à droite l'île aux Oiseaux et la ville d'Arcachon.

Camille avait vécu à Arcachon avec ses parents jusqu'à son entrée en faculté. Sa mère habitait toujours la petite maison familiale située dans une forêt de pins, à la sortie de la ville.

Vanessa et Lucas, qui grandissaient, supportaient de plus en plus difficilement le manque d'espace et les habitudes de leur grand-mère ; depuis la disparition de son mari, ses journées se déroulaient selon un rite immuable qui ne convenait pas à une cohabitation apaisée entre trois générations.

Camille avait donc décidé que, cette année, la location s'imposait. Sa mère le prit avec philosophie et pour tout dire avec un certain soulagement. Cela leur permettait de se voir régulièrement, sans les inconvénients des tiraillements familiaux générateurs de conflits.

Malgré l'heure d'arrivée tardive et la malle à vider, Vanessa et Lucas ne pensaient qu'à une seule chose : prendre leur premier bain !

Camille et Richard n'insistèrent pas ; le voyage avait été bien assez pénible. Ils s'attelèrent aux rangements tandis que les enfants partaient vers la plage.

— Nous passons voir ma mère avant ou après le repas ? demanda Camille tout en vérifiant la vaisselle disponible dans les placards de la cuisine.

Richard, qui venait de terminer les multiples allers-retours entre la voiture et les chambres, s'affala sur le canapé.

— Nous pouvons y aller uniquement demain, qu'en penses-tu ? proposa-t-il.

Après un instant de réflexion, Camille se rallia à l'avis de son mari.

— Tu as raison, je lui téléphone. Nous passerons la voir avant d'aller au marché.

Il cligna des yeux en signe d'approbation.

Richard regardait sa femme, le téléphone à la main, qui discutait avec sa mère. Elle marchait doucement dans cette maison qu'elle paraissait déjà s'être appropriée. Il la trouvait belle ; il ne le lui disait jamais, mais il y pensait souvent. Camille portait un short saharien à larges poches, un débardeur rouge et une paire de sandales à talons compensés ; elle semblait heureuse. Richard ne la quittait pas des yeux. À plusieurs reprises, elle remarqua le regard insistant de son mari ; elle raccrocha et vint s'asseoir sur le canapé.

— Demain matin, nous passerons chez ma mère vers dix heures, nous déjeuncrons chez elle après le marché.

Richard ne dit rien. Camille hésita avant de poursuivre :

— …Ça ne te convient pas ? Tu préfères nous rejoindre juste pour le repas ? Peut-être que…

Il posa sa main sur l'avant-bras de sa femme, qui eut un mouvement de recul, non pas par refus, au contraire. Ce simple geste de tendresse était si rare de la part de Richard qu'elle ne put retenir sa surprise. Il retira sa main.

Confuse, Camille bafouilla maladroitement quelques mots d'excuse.

— Désolée, je ne… m'attendais pas…

Richard ne parut pas contrarié, du moins, il ne laissa rien paraître.

— Quinze jours de repos ! Plus de dossiers, le pied ! s'exclama-t-il en calant ses mains derrière sa tête. Ce soir, tu ne prépares rien, nous allons dîner au restaurant des *Goélands,* en bordure de plage ; j'ai envie d'une dorade grillée au fenouil ! Le coucher de soleil sera superbe sur le Cap Ferret, j'en suis sûr ! Après le repas, nous irons nous balader sur la plage, qu'en penses-tu ?

Camille donna son accord avec enthousiasme.

— Bien sûr, avec plaisir !

Elle compléta son propos sous forme de question :

— Depuis combien de temps n'avons-nous pas dîné au restaurant tous les quatre, avec les enfants ?

— Je ne sais pas, bien trop longtemps, dit-il tout en se dirigeant vers la terrasse.

— Pour les quinze ans de Vanessa, assura Camille.

Richard, les mains croisées sur sa nuque, se retourna vers sa femme restée assise sur le canapé.

— Effectivement, bien trop longtemps, répéta-t-il. À partir d'aujourd'hui, nous allons instaurer une sortie tous les quatre... voyons... une fois par mois !

Son enthousiasme contrastait avec la retenue de Camille. Elle savait que sa promesse ne tiendrait pas longtemps. Le temps que l'agenda de Richard se remplisse et les résolutions de vacances seraient vite oubliées.

Mais ce soir, peu lui importait, elle avait envie d'y croire, simplement de se sentir bien avec son mari et ses deux enfants, vivre l'instant comme il se présentait, avec ses faiblesses et ses mensonges.

Elle s'approcha de Richard, et cette fois-ci, c'est elle qui saisit son bras. Ils restèrent un long moment le regard fixé sur la plage, où Vanessa et Lucas profitaient des eaux calmes du bassin d'Arcachon.

Elle ne prononça pas une parole ; elle aurait tant aimé que Richard la prenne dans ses bras et lui fasse croire, ne serait-ce qu'un instant, qu'ils redevenaient deux jeunes amoureux insouciants. Elle imaginait qu'il l'entraînait vers la plage, qu'ils jetaient leurs chaussures en arrivant sur le sable, se mettaient à courir à en perdre haleine, qu'il caressait ses lèvres avec ses mains humectées d'eau salée…

Une fois de plus, l'imaginaire de Camille se confrontait à une réalité bien trop convenue.

Souvent, elle se demandait pourquoi elle espérait encore et toujours quelque chose qui n'arrivait jamais. Pourquoi elle s'obstinait à penser qu'au-delà de l'habitude, il existait une étincelle qui pouvait tout changer.

Richard ne bougeait pas. Camille lui proposa de rejoindre leurs enfants :

— Regarde, dire qu'ils se chamaillent toute l'année ! Viens, rejoignons-les !

Elle n'attendit pas sa réponse et l'entraîna jusqu'à la plage. Ils traversèrent la petite forêt de pins qui protégeait la première rangée de maisons des embruns océaniques. Ils s'assirent sur le rebord de béton longeant la piste cyclable.

D'un signe de la main, elle indiqua à Vanessa qu'ils avaient encore un peu de temps pour profiter de leur première baignade.

L'esprit de Camille s'égara dans ses souvenirs d'enfance. Elle se rappela qu'à la belle saison, elle passait de longues heures avec ses amis d'école, de collège puis de lycée sur cette plage qui n'avait pas changé malgré les années.

— Tu vois, je me demande pourquoi j'ai quitté cet endroit, murmura-t-elle tout en découpant avec minutie quelques aiguilles de pin qu'elle venait de ramasser.

Richard l'extirpa rapidement de son nostalgique questionnement.

— Eh bien, pour faire tes études de droit !

Camille le regarda avec compassion avant de répondre :

— Bien sûr, faire mes études de droit… comment peut-on quitter une telle douceur de vivre. Parfois, je me demande si… Elle se tut.

— Tu te demandes quoi ? s'enquit-il.

— Rien, rien du tout, je suis contente d'être ici… Tu as vu, ils sont déchaînés, au moins ils dormiront profondément ce soir. Tu devrais aller les chercher, il est l'heure, suggéra-t-elle comme pour échapper à la question de son mari.

— O.K., j'en profite pour tester la température de l'eau, tu viens ? lui proposa Richard.

Elle préféra rester seule, déclinant l'invitation.

Il se dirigea vers ses enfants tandis que Camille replongeait dans son rêve éveillé.

Elle regardait le soleil qui commençait à se coucher sur la pointe du Cap Ferret. Elle repensa à ces soirées de printemps, lorsqu'elle était au lycée ; avec son groupe d'amis, elle passait de longues heures autour d'un feu de camp improvisé sur la plage de Pereire ou en bordure de la dune du Pilat.

Elle saisit son paquet dans la poche de son short et grilla avec empressement une première cigarette, suivie d'une seconde qu'elle fuma tout aussi rapidement, l'air crispé.

Elle pensait à Stephen et cela la troublait. Elle avait voulu d'abord faire fuir son image qui depuis quelques jours se dessinait régulièrement dans ses pensées. Elle résistait, du moins elle essayait, mais ce soir elle ne lutta pas et se laissa glisser dans un doux souvenir d'adolescente.

Au cours de leur année de seconde, échappant à la compagnie de leur groupe d'amis, ils étaient venus à plusieurs reprises, tous les deux, sur cette plage. Ils y restaient jusqu'à la tombée de la nuit, blottis l'un contre l'autre, simplement à regarder les lumières des derniers bateaux qui rentraient au port.

– Maman, elle est super bonne !

Lucas, emmitouflé dans sa serviette de bain, venait de se blottir contre sa mère. Vanessa fit de même. Camille serra fort ses enfants contre elle.

– Vous savez, les enfants, quand j'avais l'âge de Vanessa, j'ai passé beaucoup de temps sur cette plage, leur dit-elle avec un naturel qui étonna Richard.

– Ici ? Tu es sûre, maman ? questionna Lucas, intrigué.

Dubitative, Vanessa fixa sa mère et appuya la question de son frère :

– Pourquoi tu nous dis ça maintenant, cela fait... super longtemps que l'on vient ici ?

Camille resta silencieuse un instant, puis les enlaça encore un peu plus fort.

– Je ne sais pas, j'ai envie de me souvenir, cela me fait du bien... enfin je crois.

Richard paraissait hermétique au trouble de sa femme ; il traversait déjà la route pour rejoindre la maison.

– Allez, les enfants, ce soir, c'est la fête ! Papa nous invite au restaurant. Allez vous changer, lança Camille d'une voix faussement convaincue.

Lucas rejoignit son père. Vanessa, restée blottie contre sa mère, marchait doucement. Elle remarqua les yeux rougis de Camille.

– Ça va, maman, tu es sûre ?

Les mains posées sur les joues de sa fille, elle l'embrassa sur son front encore mouillé.

– Tu es toute salée...

– Ça va ? insista Vanessa.

— Oui, chaque fois que je reviens ici, je repense à des tas de souvenirs et… avec la fatigue du voyage, les émotions se font un peu plus intenses.

— Eh bien, ils ne doivent pas être super, tes souvenirs ? fit Vanessa en grimaçant.

Camille n'hésita pas et répondit à sa fille :

— Oh si, de très bons souvenirs !

Vanessa tenta d'en savoir un peu plus sur le comportement inhabituel de sa mère.

— Mais…

Camille l'interrompit :

— Allez, va te doucher et te préparer rapidement, il est déjà plus de vingt heures, imposa-t-elle.

— Très bien, j'y vais.

— Et ne sois pas trop longue, enfin essaie… !

Vanessa s'avança dans l'allée du jardin et s'arrêta un instant. D'un ton bien trop grave pour une jeune fille de seize ans, elle s'adressa à sa mère :

— Qu'est-ce qui t'arrive, maman, tu m'inquiètes !

Camille s'approcha, lui tapa sur les fesses et se força à sourire.

— Allez hop, dans la salle de bains !

Vanessa disparut dans le couloir qui conduisait aux chambres tandis que Camille, restée sur la terrasse, fumait une nouvelle cigarette, accoudée à la balustrade.

Le repas se déroula dans une décontraction que la famille avait rarement connue. Les yeux de Camille pétillaient, son sourire radieux diffusait une énergie de bonheur autour de la table. Richard, d'habitude si sérieux, riait de bon cœur aux blagues toujours bien ciselées de Lucas, qui ne manquait pas d'humour pour caricaturer le moindre défaut des clients et des serveurs. L'éternel compagnon de Vanessa avait quitté sa main pour atterrir, en mode silencieux, dans la poche arrière de son jean. Chacun était là, bien présent, pour un rare moment de communion familiale.

Vers 23 heures, ils sortirent du restaurant et se promenèrent sur la plage située en contrebas.

Le temps était frais, le vent marin d'ouest soufflait par rafales modérées, mais suffisait à faire grelotter Camille.

Richard déposa son chandail sur les épaules de sa femme et lui noua les deux manches autour du cou. Elle le regarda, gênée, peu habituée à ces gestes de bienveillance de sa part. Ils marchèrent quelques instants avant que Camille réagisse :

— Merci !

— De rien, j'ai remarqué que tu avais froid, dit-il simplement.

Tandis que Lucas s'épuisait à proposer la plus belle roue possible, Vanessa venait de se reconnecter à son monde virtuel. Camille saisit le bras de Richard.

— C'est gentil ! insista-t-elle.

— Ce n'est qu'un chandail ! Nous devrions rebrousser chemin, ce vent est vraiment désagréable.

Le quartier de lune ne suffisait pas à éclairer le visage de Camille qui trahissait une mine fataliste. Richard ne remarqua pas son attente et insista dans la démonstration de son naturel purement pratique.

— Allons, revenons vers la maison ! Les enfants, cria-t-il, nous rentrons, votre mère est gelée !

Elle ne réagit pas ; connaissant Richard, elle savait que ses propos ne contenaient ni méchanceté ni maladresse intentionnelle ; il était lui-même, tout simplement.

Personne ne dit rien sur le chemin du retour ; la fatigue de cette longue journée commençait à se faire sentir. Arrivés à la maison, Richard et les enfants se couchèrent, épuisés.

Camille fouilla dans les placards du salon ; les anciens locataires avaient oublié une bouteille de liqueur de génépi. Elle se servit un verre et y glissa un glaçon. Assise en tailleur sur la terrasse, le regard calé vers la plage, elle s'intoxiqua de goudron et de nicotine pour la dernière fois de la journée.

Elle prit tout son temps. D'habitude grillée en deux minutes, sa cigarette eut droit, ce soir-là, à un traitement de faveur. Après chaque gorgée de liqueur, Camille redéposait le verre à côté d'elle tout en le faisant tourner sur lui-même. Son regard se perdait dans la nuit ; les lumières lointaines de la presqu'île du Cap Ferret conjuguées aux effets de la fatigue et de l'alcool l'emmenèrent peu à peu à la limite de la somnolence.

Elle se leva lentement, ferma la baie vitrée et monta se coucher. Ses enfants et son mari étaient déjà plongés dans un sommeil réparateur.

— Je peux prendre mon skate pour aller voir mamie ? demanda Lucas tout en avalant goulûment sa dernière brioche badigeonnée d'une épaisse couche de Nutella.

— O.K., mon fils, accepta Richard. Mais à une condition, tu fais attention et tu restes sur le trottoir.

— Maman, papa est d'accord, je peux prendre mon skate ! hurla Lucas depuis le bas de l'escalier.

Camille, dans la salle de bains, entendit les hurlements de joie et confirma la décision de son mari.

— D'accord ! Mais tu le portes toute la journée, pas question que je le trimballe sous le bras comme quand nous allons au skate parc !

Chacun avait passé une excellente nuit. Camille ne s'était pas réveillée une seule fois, ce qui était très inhabituel depuis plusieurs mois. Son visage respirait la fraîcheur ; elle décida de ne pas se maquiller et coiffa ses cheveux en arrière. Elle enfila une robe fine, légèrement transparente, qui laissait deviner le galbe de ses cuisses.

— Waouh, trop belle maman ! s'exclama Vanessa, peu habituée à voir sa mère si naturelle.

— Merci, ma fille, c'est gentil.

— Non, mais vraiment, t'assures grave !

Camille se mit à rire.

— Si « j'assure grave », alors tout va bien ! Toi, fais-moi plaisir et n'enfile pas un de tes éternels sweats, proposa Camille tout en saisissant sa fille par l'épaule.

— Ça marche, fit l'adolescente avec une petite mimique de contrariété.

— Bon alors, mesdames, la salle de bains est-elle libre ? Les hommes attendent, lança Richard d'un ton décontracté.

— À vous, messieurs, vous avez un quart d'heure, pas une minute de plus, répondit Camille.

— Tu entends, mon fils, ce que dit ta mère ? ironisa-t-il. Allez viens, on va leur montrer à ces femmes, nous avons un quart d'heure chrono. Il prit son fils par la main pour l'entraîner en courant jusqu'à la salle de bains.

L'ambiance était légère, agréable, chacun paraissait heureux. Le soleil était radieux, la journée allait être chaude. BFM venait d'annoncer une température caniculaire, plus de 35 °C prévus dans tout le sud-ouest de la France. Malgré cette chaleur écrasante, les bords du bassin étaient toujours enveloppés dans une brise côtière qui rafraîchissait l'atmosphère.

— Ils arrivent quand, Évan et Kalinia ? demanda Vanessa, affalée dans le canapé, attendant que son père et son frère soient prêts.

— Samedi, ils vont rester jusqu'à lundi soir. J'espère qu'avec les jumeaux, la grande chambre du rez-de-chaussée leur conviendra, s'inquiéta Camille tout en vérifiant les draps et les couvertures dans les armoires.

— Seulement trois jours ? grimaça Vanessa, contrariée.

— Tu sais bien que durant l'été, c'est difficile pour eux de se libérer. Dans l'hôtellerie, c'est la période où il y a le plus de travail.

— Oui, mais ils sont cool, je les aime bien.

— Eh bien, nous profiterons un peu plus de ce long week-end, voilà tout !

— Très bien ! affirma Vanessa tout en fixant le chronomètre de son portable. Oh, oh, là-haut ! Plus que deux minutes, vous entendez ?

Personne ne répondit, l'étage semblait étrangement calme.

En fait, Richard et Lucas, sortis par la porte de service située derrière la maison, se trouvaient sur la terrasse.

— Nous sommes là ! clamèrent-ils de plaisir.

L'effet de surprise passé, les filles ne purent que constater : quatorze minutes et vingt secondes.

— Bravo, messieurs, s'inclina Camille tout en constatant que le polo de son fils était à l'envers. Il te reste quarante secondes pour le remettre à l'endroit, allez hop !

Lucas s'exécuta dans un grand éclat de rire et Camille rameuta ses troupes.

— Dépêchons-nous, ma mère va nous attendre.

Ils partirent tous les quatre en direction d'Arcachon.

– Bonjour, les enfants, venez embrasser votre mamie Claudine. Cela fait combien de temps que je ne vous ai pas vus ?

Vanessa et Lucas s'exécutèrent avec plaisir avant de se diriger vers le fond du potager où, au beau milieu de la cage aux perruches, trônait fièrement Hector, le vieux perroquet qui, surpris par la présence des deux enfants, se mit à crier et jacasser de peur.

– Allons, ne l'énervez pas, il est fragile. Certaines journées, je ne parle qu'avec lui, il est vieux, faites attention, recommanda Claudine.

Camille s'approcha de sa mère qui n'avait toujours pas fait le moindre pas vers elle.

– Bonjour, maman, tu vas bien ? dit-elle en l'embrassant.

– Oui, ça va, enfin, la solitude habituelle. Depuis la mort de ton père, ce n'est plus pareil.

Camille ne put se retenir. Elle hocha la tête et leva les yeux au ciel en signe de désapprobation, exaspérée par le comportement systématique de sa mère.

– Je sais bien que ça ne te plaît pas que je te dise ça, mais c'est la stricte vérité, répondit celle-ci tout en embrassant Richard, resté en retrait.

– Papa est décédé depuis vingt ans, tu ne crois pas que tu pourrais te trouver des occupations, sortir, voir des amis ? Arcachon est une ville aux multiples activités, profites-en ! En plus, tu as les moyens.

– Les moyens, ma fille ! Eh bien, tu ne vis pas à Arcachon, les impôts n'arrêtent pas d'augmenter.

Camille ne poursuivit pas ; elle savait que c'était inutile. Elle préféra revenir au sujet de la matinée :

— Allons, prépare-toi, le marché nous attend !

Sa mère ne dit rien et entra un instant dans la cuisine. Elle en ressortit coiffée d'un chapeau de paille, tenant bien serré son cabas à roulettes.

— Allons-y, les meilleurs produits ne vont pas tarder à disparaître.

La place du marché, située au cœur de la ville, était à une centaine de mètres de la plage. Camille, qui marchait devant avec Vanessa, préféra prendre le boulevard de l'Océan plutôt que les rues bondées du centre de la cité. Lucas se régalait avec son skate, slalomant entre les cyclistes qui empruntaient la piste qui leur était réservée.

Richard, resté en retrait quelques dizaines de mètres derrière sa femme, ressemblait à un automate. Il secouait la tête à intervalles réguliers, en signe d'approbation au long et usant monologue de sa belle-mère. Camille se retourna à plusieurs reprises, scrutant la scène avec tristesse et fatalisme.

— On n'attend pas papa et mamie ? s'enquit Vanessa.

— Tu n'es pas bien avec moi ?

— Si, bien sûr, mais...

— Alors, profites-en ! On n'est pas bien entre filles ?

— Oui, tu as raison ! Elle saisit sa mère par le bras et posa sa tête sur son épaule tout en continuant à marcher sur le bord de mer.

La marée était haute ; à l'horizon, on devinait les deux cabanes tchanquées de l'île aux Oiseaux, perchées sur leurs pattes en bois au milieu du bassin.

De la même façon que la veille, des souvenirs lointains revinrent à l'esprit de Camille : Stephen, une fois de plus, envahit ses pensées. Elle repensa au jour où ils avaient fait le tour de l'île aux Oiseaux à bord du bateau de pêche d'Andrew, le père de Stephen. Camille lutta pour effacer l'image de son premier amoureux, mais elle n'y parvint pas ; elle pensa à lui jusqu'à l'heure du repas, où elle dut s'activer en cuisine devant la lenteur de sa mère qui n'espérait qu'une chose : profiter de sa présence pour en faire le moins possible.

Les premiers jours de vacances s'écoulèrent avec douceur et tranquillité. Chacun prit rapidement ses marques ; les journées étaient rythmées par les réveils tardifs, les séances de bronzage et de baignade, les balades en VTT sur les nombreuses pistes cyclables entourant le bassin et conduisant aux différentes plages océaniques.

Mamie Claudine se fit le plus discrète possible, comme à son habitude. Cela peinait Camille de constater que sa mère ne ressentait pas un besoin particulier de passer un peu plus de temps avec elle et surtout avec ses petits-enfants. Mais au fond, sans se l'avouer, elle préférait que sa mère ne soit pas trop présente ; à chacune de ses visites, l'atmosphère devenait pesante. Les enfants s'éclipsaient rapidement dans leurs chambres ou sur la plage, Camille se fermait, opposant quelques remarques convenues aux affirmations toujours aussi déprimantes de Claudine. Seul Richard paraissait à l'aise avec sa belle-mère, sans doute quelques restes de son éducation stricte où le conflit avec les parents n'était pas envisageable.

Le samedi matin arriva. Kalinia, Évan et leur petite famille devaient les rejoindre en fin de matinée. Camille entendit vibrer son portable déposé sur la table du salon.

> On est là, belle-sœur préférée.
> À tout de suite !

— Ils viennent d'arriver ! s'écria-t-elle.

Vanessa et Lucas se précipitèrent sur la terrasse, et aperçurent le camping-car couvert des écussons des pays et villes visités.

— Tonton, tatie ! se mit à hurler Lucas tout en descendant les escaliers quatre à quatre.

Évan le saisit par les épaules et le souleva au-dessus de sa tête.

— Dis-moi, l'eau du bassin, pas trop froide ?

— Trop bonne tonton, viens, on y va !

Évan le déposa à terre. Lucas s'agitait dans tous les sens, regardant à travers les fenêtres du camping-car, à la recherche d'Anton et Théo, les jumeaux.

— Ben, ils sont où ?

— On les a laissés à la maison, répondit Kalinia d'un ton si sérieux que cela eut le mérite de calmer instantanément l'excitation de Lucas.

— Je plaisante bien sûr, ils dorment encore.

— Qu'est-ce que tu peux être nul, mon pauvre frère, tu l'as crue, s'amusa Vanessa.

Richard et Évan se retrouvaient avec plaisir sans la présence d'Eymeric, leur frère aîné qui, avec l'aide assidue de Clémentine, avait le don naturel de plomber les meilleures ambiances. Camille fit visiter la maison à Kalinia tandis que Vanessa, restée près du camping-car, attendait le réveil des jumeaux pour donner l'alerte.

— Tu ne penses pas que c'est un peu petit pour quatre ? s'inquiéta Camille tout en scrutant la réaction de Kalinia.

— Un grand lit et deux petits lits, c'est parfait. Tu sais, c'est juste une chambre, nous n'allons pas y passer le week-end, plaisanta-t-elle.

— Super, trop contente que tu sois là ! s'exclama Camille tout en déposant une des deux valises au pied du lit.

Le week-end se déroula dans la joie et la bonne humeur, chaque repas fut l'occasion de nombreux fous rires. Au cours du dîner du dimanche soir, Richard se risqua même, avec l'aide espiègle d'Évan, à se moquer de l'attitude de ses parents, ce qui provoqua de la part de Kalinia une remarque, comme d'habitude, très directe :

– Quarante-trois ! C'est bien ça ?

– Pardon ?

– Eh oui, quarante-trois ans avant de critiquer papa et maman… quel homme ! fit-elle en contractant son biceps à la manière d'un boxeur rentrant sur le ring.

Richard ne réagit pas, il fronça les sourcils tout en fixant sa belle-sœur.

Camille préféra s'éclipser dans la cuisine.

Évan, à l'affût de la réaction de son frère, fit un signe de tête à sa compagne pour lui signifier son mécontentement.

Richard se leva, s'approcha de Kalinia et se saisit de la bouteille de cabernet d'Anjou. Il remplit le verre de sa belle-sœur, et le sien, avec un large sourire :

– Bois un coup, ça t'évitera de dire des conneries !

– O.K., cul sec tous les deux alors ?

– Ça marche, lève-toi donc ! lui imposa-t-il.

Prise à son propre piège, Kalinia s'exécuta avec plaisir, mais avec difficulté ; l'alcool ne faisait pas partie de ses goûts, et encore moins le rosé.

– Nous voilà bien maintenant, plaisanta Évan en saisissant son frère par les épaules. Qu'as-tu fait ? Déjà qu'elle raconte beaucoup de bêtises !

Il était près de minuit, les jumeaux dormaient depuis deux bonnes heures, Lucas commençait à sommeiller sur le canapé, sa PlayStation encore dans les mains. Vanessa avait eu l'autorisation de passer la fin de la soirée sur la plage avec un groupe d'adolescents qu'elle connaissait depuis le début du séjour.

Les adultes discutaient tranquillement, encore assis autour de la table. Les deux frères dégustaient une vieille eau-de-vie artisanale qu'Évan se procurait chez un vigneron des Corbières. La bouteille ne présentait ni étiquette ni inscription, ce qui laissait deviner un degré alcoolique bien trop élevé pour continuer à soutenir une conversation d'une parfaite logique.

— Je crois que l'on va devoir les porter pour aller jusqu'à la chambre, fit remarquer Camille.

— Pas question, ils dormiront sur la terrasse !

— Tu as raison, je crois même qu'ils ont oublié que nous sommes là.

Kalinia découpa un bout de tarte aux pommes qu'elle badigeonna généreusement de chantilly.

— Il est super bon, ce gâteau ! s'exclama-t-elle tout en léchant le dessus de ses lèvres.

— Espèce de ventre va, je ne sais pas où tu le mets !

D'un coup, Camille se tut. Kalinia finissait de lécher ses doigts pour récupérer le dernier morceau de pomme resté collé.

— Vraiment super bon !

— …

— Camille, tu es avec moi ?

— Oui, oui… ça te dit de venir marcher sur la plage ? proposa-t-elle.

– Maintenant ? On n'est pas bien ici ? Que veux-tu faire sur la plage ? Nous y avons passé toute la journée.

Camille la regarda d'un air fatigué, presque triste.

– Pour digérer, tout simplement !

Kalinia comprit que sa belle-sœur souhaitait, sans aucun doute, lui parler.

– O.K., j'arrive ! Elle interpella les deux frères de plus en plus avachis, proches de la position allongée. Nous allons marcher, on vous laisse la maison, par contre la bouteille vous pouvez la lâcher, ce serait pas mal !

Elle n'eut pour seule réponse qu'un mouvement de bras lent et poussif.

La pleine lune se reflétait sur l'eau, laissant deviner les vagues de la marée montante s'étalant sur le sable encore sec. La journée avait été caniculaire et, malgré l'heure tardive, de nombreuses personnes profitaient de la fraîcheur de cette nuit d'été. Kalinia reconnut, au loin, le rire de Vanessa, installée avec son groupe d'amis. Ils criaient, ils riaient, ils se couraient après pour s'affaler dans le sable ; deux garçons soulevèrent une jeune fille et firent semblant de la jeter à l'eau.

– Regarde-moi ça, ils sont insouciants, quel bel âge ! déclara Kalinia. Tu n'as pas peur pour ta fille, tu les connais, ces jeunes ?

– Peur de quoi ? Qu'elle soit heureuse ? Elle vit « l'instant présent », c'est bien cela que tu me répètes si souvent.

— Décidément, ton mari et toi, vous êtes impitoyables ce soir !

— Ne t'inquiète pas, ce sont les enfants des voisins, également en vacances, des Hollandais et des Gallois.

— Elle va progresser en anglais, c'est bien ! Quinze jours avec eux, tu verras, c'est plus efficace que six mois assis en face d'un professeur.

Le regard fixé vers le sol, Camille donnait à chaque pas des petits coups de pied dans le sable.

— En anglais… dit-elle tout bas.

Kalinia n'entendit pas ; le bruit des vagues couvrait le murmure de Camille.

— Que dis-tu ?

— Rien d'important.

— Bon alors, qu'as-tu à me dire, je te connais !

— C'est un peu idiot, je crois que tu vas te moquer de moi, mais bon…

— Allez, on a déjà raconté assez de bêtises toutes les deux, une de plus ou une de moins !

Camille s'arrêta et fixa Kalinia dans les yeux :

— Un ami d'enfance te contacterait après plus de vingt-cinq ans, tu penserais quoi ?

— Euh… déjà, dans mon cas, vingt-cinq ans, ce n'est pas possible ! Je suis bien trop jeune, fit-elle sur le ton de la moquerie.

— Arrête de te foutre de moi ! Tu ferais quoi ? insista Camille en tirant sur le bras de la jeune femme.

— Je ne sais pas. Elle hésita, paraissant réfléchir… Je crois que je serais surprise. En même temps, vingt-cinq ans après, je ne sais pas trop ce que je lui dirais.

— Et si tu ne l'avais pas encore vu ?

— Quoi ! Comment ça, « pas vu » ? Je ne comprends rien !

Agacée, Camille continua d'un ton sec :

— Ce n'est pas compliqué pourtant ! Un ami d'enfance, que j'ai connu ici à Arcachon, a cherché à me joindre il y a quelques jours au bureau, mais j'étais absente.

— A-t-il laissé ses coordonnées ?

— Oui !

— Et tu l'as rappelé ?

— Euh... non !

— Donc, tout va bien ! Tu n'as pas envie de reprendre contact, voilà tout.

— Bien sûr...

— Ne te prends pas la tête... et puis, s'il te rappelle : « Bonjour, comment vas-tu ? Qu'es-tu devenu ? Blablabla... oui, bien sûr, à l'occasion... » Il comprendra rapidement que tu n'as pas envie de le revoir.

— Évidemment...

Kalinia, déjà passée à autre chose, changea de sujet :

— Regarde ta fille, comme elle paraît heureuse, fit-elle remarquer.

— Il est bouquiniste à Paris, dans le quartier du Marais, c'est original comme métier.

— Qui donc, le père d'un des jeunes ?

— Stephen !

— Tu connais le prénom de tes voisins de vacances après une semaine… waouh, je t'ai connue plus réservée, dis-moi !

Une totale incompréhension venait de s'installer entre les deux femmes.

— Stephen… c'est le prénom de… l'ami d'enfance.

Kalinia, d'habitude si sereine, resta silencieuse plusieurs minutes, le visage soucieux.

— Si j'ai bien compris, un certain Stephen, que tu as connu il y a plus de vingt-cinq ans, quand tu vivais ici, a essayé de rentrer en contact avec toi, c'est exact ?

— Oui, mais…

— Laisse-moi finir ! imposa Kalinia. Et tu ne l'as pas revu, c'est juste ?

— En fait… je suis allée fouiller sur Internet pour savoir ce qu'il était devenu, lâcha Camille.

— Bouquiniste, j'ai compris !

— Ce que je ne m'explique pas, c'est que… je repense souvent à lui. Depuis le début de la semaine, c'est pire, les souvenirs de jeunesse ressurgissent sans prévenir, puis tout se met à tourner en boucle dans ma tête. Dès que j'ai eu son message, j'ai même cherché à le voir sur les quais de Seine où exposent les bouquinistes… mais simplement le voir, je ne serais pas allée lui parler, c'est sûr !

— Le voir et ne pas lui parler ! Mais qui est-ce, ce Stephen ?

— Un ami d'enfance, je te dis !

— Un « ami » ?

— Un « petit ami », une amourette de deux mois, concéda Camille.

Kalinia paraissait préoccupée, elle percevait dans les paroles de Camille une émotion inhabituelle. Un flot de questions se bousculait dans son esprit, mais une en particulier la tourmentait.

— Simplement un « petit ami », rien d'autre ?

— Oui, Kalinia, une simple amourette, des promenades main dans la main, des embrassades à répétition, c'est tout !

Kalinia sembla rassurée.

— Arrête de te prendre la tête avec ça. En fait, ce n'est pas à lui que tu penses, c'est à ton passé, la nostalgie de ta jeunesse, de ce que tu as vécu ici à Arcachon.

— Sans doute, tu dois avoir raison. Je suis crevée et hypersensible en ce moment.

Kalinia la saisit par la taille et l'entraîna avec elle.

— Allez viens, on remonte voir si nos deux arsouilles sont encore conscients ou si on doit les coucher sur la terrasse ?

Elles aperçurent Vanessa qui remontait les escaliers de la maison.

— Au fait, vous aviez quel âge ? demanda soudain Kalinia.

Camille regarda en direction de sa fille.

— Son âge... seize ans !

– 9 –

Les enfants de la dune

Ils avaient seize ans, les enfants de la dune.

L'âge auquel on croit qu'un endroit majestueux fortifie un amour naissant.

La carte postale était belle : le soleil couchant au loin sur l'océan, une légère brise marine, leurs regards rivés sur l'horizon. Tout était parfait, mais ils n'avaient que seize ans, les enfants de la dune...

Stephen était un jeune adolescent réservé, quelquefois décalé par rapport aux préoccupations d'un jeune homme de son âge. Les poussées d'hormones des garçons les conduisent parfois, voire très souvent, à des habitudes aussi futiles que généralisées : essayer de deviner la couleur des dessous des professeurs de sexe féminin, parier une clope ou une canette de bière que leur copine la plus délurée portera, comme presque tous les vendredis, cette jupe blanche transparente qu'ils aiment tant.

Stephen, lui, préférait s'évader dans ses livres, surtout la littérature anglo-saxonne. Sa famille, d'origine britannique, l'avait initié aux premiers romans policiers des deux maîtres du dix-neuvième siècle : Charles Dickens et Wilkie Collins. Il n'était pourtant pas insensible au charme féminin, en particulier celui de Camille !

Camille et Stephen vécurent pendant leur année de seconde un flirt aussi intense que bref. Ils ne se quittaient jamais, s'enlaçaient à la moindre occasion, se donnaient rendez-vous aux intercours puis, le soir, à la sortie du lycée. Ils avaient du mal à se quitter vers 18 heures et se retrouveraient dès le lendemain à 7 h 15, devant les portes encore closes.

Leur histoire dura deux mois, pas un jour de plus. C'est à l'occasion de la fête de fin d'année que Stephen demanda à Camille si elle souhaitait découvrir de nouveaux livres. Depuis plusieurs mois, elle s'était prise de passion pour les auteurs anglais. Du moins, c'est ce qu'elle lui avait fait croire pour attirer son attention, mais jamais elle n'avait lu la moindre ligne.

Aidée par l'effet d'un verre de punch préparé en cachette avec ses copines, elle lui répondit assez sèchement qu'elle ne désirait pas d'autres ouvrages et qu'elle n'en avait d'ailleurs lu aucun.

Stephen aurait eu des raisons de s'énerver, mais sa timidité l'empêcha de réagir ; il resta résigné devant la situation qui lui échappait. Il perdit Camille ce soir-là, ou plus exactement, elle s'enfuit sans aucune explication. Les derniers mots qu'il lui adressa furent :

– Je te prête mes livres, mais… « seulement si tu en as envie ! »

Quelques semaines passèrent et, prise de remords, elle souhaita le revoir pendant les vacances d'été. Au dernier moment, elle n'osa pas et rebroussa chemin, peu fière de son attitude.

Lors de la rentrée en classe de première, elle pensa retrouver Stephen, mais il ne faisait plus partie des effectifs. Il venait de déménager à Londres avec ses parents.

Ce que Camille ne sut pas, c'est que Stephen ne supporta pas son lycée londonien, bien trop strict à son goût. Il revint vivre, quelques mois plus tard, chez sa tante restée à Arcachon. Il préféra ne pas se réinscrire au lycée Grand Air et poursuivit ses études dans un établissement professionnel à l'autre bout de la ville.

Il ne souhaitait pas réintégrer le même lycée avec le risque de croiser celle qu'il n'avait pas oubliée, et il ne recontacta aucun de ses anciens amis. Pendant près de deux ans, jusqu'au départ de Camille pour ses études de droit, il n'osa pas la revoir. La peur de la perdre définitivement était plus forte que tout ; cent fois il eut envie de l'attendre à la sortie du lycée, mais jamais il ne le fit.

Leur histoire avait pourtant bien débuté. Camille fut même invitée à passer un samedi avec les parents de Stephen. Son père, qui entretenait les bateaux des riches propriétaires, possédait un petit hors-bord. Elle eut un mal de mer terrible et la demi-journée de pêche se transforma en simple balade autour de l'île aux Oiseaux. Durant deux heures, elle ne quitta pas du regard le phare du Cap Ferret, pour éviter d'être trop malade et de paraître idiote aux yeux de cet homme qu'elle rencontrait pour la première fois.

Ancien capitaine de cargo, le père de Stephen pensa que la copine de son fils était bien fragile pour ne pas supporter les flots si calmes du bassin. Il n'insista pas et, à la demande de son fils, rentra le plus lentement possible au port, proche de la dune du Pilat, en évitant de brusquer les mouvements du bateau.

Lorsque Andrew, le père de Stephen, avait décidé d'arrêter sa carrière dans la marine marchande, il avait acheté une cabane de pêcheur non loin du port du Moulleau. Il avait passé de nombreux mois à retaper cette vieille habitation presque à l'état de ruine, mais avec une vue imprenable sur l'océan. Ses maigres économies ne lui permettaient pas d'avancer les travaux comme il l'aurait souhaité. Il résidait alors dans une pièce au-dessus du bar des Lagunes où Julia, la patronne, possédait une chambre dont elle ne faisait rien. Cette jeune Écossaise, installée depuis deux ans dans la région, s'était liée d'amitié avec son compatriote britannique perdu dans ses interminables travaux. Au fil du temps et des soirées de ponçage, bétonnage et peinture, ils s'étaient rapprochés pour ne plus se quitter.

Camille fut la première à descendre de la petite embarcation. Julia comprit rapidement son état, à la couleur transparente de son visage. Elle lui tendit la main et l'emmena à l'ombre de la terrasse où elle put reprendre ses esprits.

Julia fut d'une extrême douceur avec Camille. Elle sentait Stephen épanoui. Cette jeune fille qu'elle découvrait métamorphosait son fils, habituellement si réservé ; il n'arrêtait pas de parler et de rire.

Le repas s'éternisa. Camille se sentait bien, elle leur parla de son désir de faire des études de droit pour devenir avocate. Julia en était persuadée, leur histoire durerait.

En fin d'après-midi, Camille et Stephen partirent se balader dans les immenses forêts de pins et arrivèrent en bas de la dune du Pilat. Ils grimpèrent, chaussures à la main, les cent dix mètres. À chaque pas, leurs pieds s'enfonçaient jusqu'à mi-mollets dans le sable encore chaud. Au milieu de la dune, Camille s'affala, les bras en croix et le souffle court. Stephen s'assit à côté d'elle et glissa ses jambes sous la tête de Camille ; il caressa son visage, la laissant reprendre son souffle. Ils finirent l'ascension à petits pas ; il tenait fermement la main de la jeune fille et faisait attention à ne pas marcher trop vite.

Ils s'assirent tout en haut de la dune ; l'horizon leur appartenait, et Stephen lui fit une promesse.

— Chaque année à la même date, nous reviendrons ici, je te le jure !

Camille le regarda de ses grands yeux verts, sourit et baissa la tête, posant son front contre l'épaule de Stephen. Il passa la main dans ses cheveux.

— Tu ne dis rien ? demanda-t-il.

Camille murmura sa réponse :

— Je suis bien avec toi, serre-moi, serre-moi fort !

Mais ils n'avaient que seize ans, les enfants de la dune… Trois semaines plus tard, leur histoire se terminait.

– 10 –

Funambules

Nous avançons dans la vie comme des funambules, persuadés que le temps nous aidera à mieux maîtriser notre équilibre sur la corde tremblante de l'existence.

Il nous semble que rien ne peut dérégler l'horloge que nous remontons avec délicatesse chaque matin, chaque mois, chaque année.

Un jour pourtant, en un instant, tout bascule ; nous ne le savons pas encore, mais plus rien ne sera comme avant : le funambule tombe et l'horloge s'affole.

La rentrée de Vanessa et Lucas avait lieu dans quelques jours. Comme chaque année, Camille n'avait rien anticipé. Les grandes surfaces et les magasins spécialisés étaient bondés.

Durant cette période, une nouvelle sorte d'être humain faisait son apparition : une femme, le plus souvent le visage fermé, tenant fermement d'une main une feuille de papier et de l'autre un stylo, griffonnant avec délectation chaque ligne de la longue et incompréhensible liste de fournitures.

Pour Camille, chaque trait prenait la forme d'une victoire sur ses enfants, qui ne pensaient qu'à une chose : la dernière trousse ou le dernier sac Eastpak, deux voire trois fois plus onéreux que le même produit de la même qualité, mais ne possédant pas le fameux logo rouge et noir !

Chaque année, elle se posait la même question, certes inavouable, mais d'une cruelle vérité : les professeurs s'inscrivaient-ils à un concours afin de proposer la liste la plus hétéroclite possible ? Ou était-ce simplement une forme de supplice qu'ils imposaient aux parents : cahier A4 80 g grands carreaux pour les mathématiques, classeur format A4 avec feuilles 90 g petits carreaux pour les sciences de la vie, cahier format A5 de 225 pages, pas une de plus ou de moins, avec couverture rigide et si possible assortie à la couleur de fond du livre de cours pour le français… et ainsi de suite, jusqu'à épuisement des parents.

— Paquet de six ou paquet de douze ? entendit-elle hurler à son oreille.

Camille sursauta.

— Waouh, tu m'as fait peur ! Tu es folle ou quoi ?

Sabine arpentait, elle aussi, les étages et rayons de la Fnac du Forum des Halles. Elle était venue en solitaire, préférant se battre seule à seule, à armes égales, avec la fameuse « liste ».

— J'en peux plus, je suis à peine à la moitié, soupira Camille tout en faisant signe à Vanessa de ne pas bifurquer adroitement vers le rayon des CD.

— Je suis à la recherche du « diamant rose », après c'est fini ! plaisanta Sabine en brandissant son feuillet.

— Diamant rose ? Quèsaco ?

— C'est une gomme, simplement une gomme, mais elle doit être uniquement rose et bien évidemment tu en trouves des bleues, des blanches, des orange, des vertes et des rose et bleu ! Mais des roses… alors là !

Lucas était depuis un bon quart d'heure au rayon des bandes dessinées où, affalé sur des coussins, il dévorait *Le ciel lui tombe sur la tête*, un des derniers Astérix.

— Allez ma belle, je t'aide à finir tes recherches au fond de la mine, sinon tu vas faire la fermeture… et tu me dégotes ma gomme rose ! proposa Sabine. Ensuite, direction la brasserie, je rêve d'un milk-shake fraise-banane ! Nous l'aurons bien mérité !

— O.K., ça marche, allons-y !

Une heure plus tard, enfin, les démons des fournitures venaient d'être vaincus. La victoire était totale, même le fameux « diamant rose », arraché de haute lutte aux mains avides et affamées d'une autre maman, venait de prendre place dans le panier.

Il était 16 heures. Sabine ne pensait qu'à une chose, sa récompense : le milk-shake, imitée par Vanessa qui, à part pour le parfum, semblait en totale harmonie avec elle.

— Bon, les deux ronchons ! Allez vous attabler, je récupère Lucas et je vous rejoins ! soupira Camille, épuisée.

Le rayon librairie jeunesse était presque désert ; il y régnait une atmosphère calme et détendue qui contrastait avec le brouhaha de l'étage inférieur. Elle aperçut son fils allongé sur un canapé bleu, un tas de bandes dessinées posées à ses côtés.

Elle s'approcha, mais son regard fut attiré par un présentoir à l'allure imposante où elle reconnut la photo d'un jeune garçon courant sur les pavés londoniens, en pantacourt et la casquette rivée sur la tête : *Oliver Twist* !

Il s'agissait d'une énième réédition abrégée de l'œuvre de Charles Dickens que la Fnac promotionnait en cette période de rentrée scolaire. Camille prit un des livres entre ses mains, le retourna et découvrit la quatrième de couverture :

« Oliver, jeune orphelin de neuf ans, est maltraité. Décidé à s'en sortir seul, il part pour Londres, où il trouve malheureusement refuge chez un brigand qui veut faire de lui son complice. Après une nouvelle fugue, Oliver rencontre enfin un honnête homme, M. Brownlow, qui devient son protecteur. »

Elle pensa à Stephen. À seize ans, c'était son roman préféré.

« Et dire que j'ai eu ce livre, pendant des semaines, posé sur mon bureau », pensa-t-elle tout en retournant à plusieurs reprises l'ouvrage.

Depuis trois semaines, tourmentée par ses souvenirs d'adolescente qui remontaient par vagues obsédantes, elle hésitait à appeler Stephen. Sa conversation avec Kalinia l'avait convaincue qu'elle devait prendre contact avec lui, mais elle tergiversait, impuissante à inventer une raison valable à son appel.

— Sans doute l'occasion… murmura-t-elle.

Oliver Twist allait devenir sa caution, le jeune orphelin devenait l'opportunité qui lui manquait.

Le soir même, Camille se plongea dans la lecture de l'œuvre de Dickens. Richard était en congrès pour le week-end, Vanessa profitait d'une soirée chez une de ses amies, et Lucas bataillait ferme avec sa PlayStation pour désintégrer le plus grand nombre d'humanoïdes venus de la galaxie Romulus pour envahir notre belle planète bleue.

Camille n'était pas une lectrice régulière. Comme la plupart des femmes de son âge, elle avait découvert avec curiosité et parfois intérêt les romans addictifs de trois auteurs francophones : Anna Gavalda, Marc Levy et Guillaume Musso. Elle avouait une préférence pour *Je voudrais que quelqu'un m'attende quelque part*, œuvre qui avait fait connaître la romancière au grand public.

Sabine et Amélie tentèrent de la convertir au dévidoir érotique des trois tomes de *Cinquante nuances*, la fameuse romance écrite par la Britannique E.L. James. Malgré ses efforts, Camille abdiqua avant la fin du premier tome et laissa, sans regret, Christian et Anastasia à leurs gémissantes expériences.

L'univers de Dickens, bien loin de ses habituelles lectures, lui parut assez noir. Mais elle se prit à l'émotion qui s'en dégageait et sentit quelquefois la chaleur d'une larme perler au coin de ses yeux lorsque les malheurs, d'un autre temps, s'accumulaient sur les épaules du petit Oliver.

Les cent soixante pages de la version abrégée furent avalées en moins de trois heures, et elle n'interrompit sa lecture que pour aller coucher son fils qui venait enfin de triompher des humanoïdes *Romuliens*.

Elle posa le livre de poche sur la table du salon et sortit fumer une cigarette. Un des derniers orages d'été venait d'illuminer le ciel de la région parisienne, déversant ses rideaux de pluie et laissant traîner derrière lui cette apaisante fraîcheur.

Il était 1 heure du matin ; elle se dirigea vers son bureau situé dans la véranda, alluma son iMac et se connecta à son compte Facebook. Son esprit divaguait, elle cherchait encore une nouvelle raison pour, enfin, laisser un message à celui qui la tourmentait depuis qu'il était réapparu dans son existence, tel un fantôme sorti de nulle part.

« *La politesse, bien sûr ! Tout simplement la politesse. Il t'a écrit, tu lui réponds* », se dit-elle.

Et elle se décida enfin. Son fil d'actualité, elle le regarderait plus tard ; elle pointa le curseur sur l'icône *message*, puis *envoyer un nouveau message à* : elle tapa la première lettre, « S », *Sabine* apparut, cela la fit sourire puis, juste en dessous, *Stephen*.

Camille pesa chacun de ses mots ; elle rédigea, effaça, re-rédigea et effaça de nouveau son message.

Elle se remémora les conseils d'Amélie : « *Sur les réseaux sociaux, après 120 lettres, personne ne lit plus rien.* »

« *Ce n'est pas gagné, moi qui suis habituée à délayer lors des audiences, le résumé ce n'est pas mon fort* », se dit-elle.

Elle appuya enfin sur la touche « entrée » :

Bonjour Stephen, un peu surprise de ton appel, j'étais en vacances à Arcachon, ce serait sympa de se revoir. À bientôt.

À peine validé, elle regrettait déjà son envoi.

« *Quelle nunuche ! Pourquoi "se revoir", c'est nul !* » songea-t-elle.

Elle se servit un verre de vin, dont elle accompagna la dégustation des anesthésiants gustatifs d'une cigarette. Le dos appuyé à la baie vitrée, elle finissait tranquillement son verre avant de monter se coucher ; il était 2 heures passées et ses paupières commençaient à manifester leur ennui.

Camille tira une dernière bouffée et entendit la notification caractéristique d'un message entrant.

— Amélie a dû voir que j'étais connectée, j'ai sommeil, elle fait chier ! dit-elle presque à haute voix.

Bien décidée à ne pas répondre à son amie, elle positionna le curseur sur l'icône *déconnexion,* lorsqu'elle vit apparaître un seul petit rond vert dans sa liste « d'amis » ; Stephen était le seul en ligne à cette heure !

Elle ouvrit le fil de discussion :

> Arcachon ! Tu te souviens de la maison de mes parents ?

Amusée, elle hocha la tête. Elle resta un instant à regarder ces mots ; ils étaient le parfait résumé du Stephen qu'elle avait connu. Toujours cette façon de répondre à une question par une autre question, une pudeur adolescente qui ne l'avait pas quitté. Stephen savait en toutes circonstances dédramatiser la plus engluée des situations, sa réponse en était la parfaite illustration.

Une question inattendue, mais qui eut pour effet de décontracter Camille. Elle tapa simplement :

> Oui, bien sûr !

> Alors, tu me cherches sur les quais ?

Démasquée, elle ne sut quoi dire et attendit, les doigts figés sur son clavier, pensant au vieux Simon qui avait dû parler de sa visite.

> Tu te demandes comment je sais que c'était toi, je me trompe ?

Elle mentit avec maladresse :

> Te chercher ?
> Jamais de la vie !

> Femme, environ quarante-cinq ans, les yeux d'un vert puissant avec un petit mouvement de tête à droite en fermant les yeux lorsqu'elle est gênée ou surprise.

Elle n'eut pas le temps de répondre.

> Élégante et merveilleusement belle !

Elle se mit à rire devant son écran ; elle se détendait peu à peu.

> Ton portrait, ce pourrait être n'importe qui !

> Simon m'a donné exactement cette description et j'ai su que c'était toi… parce que…

> Parce que quoi ?

> Je ne vais pas te mentir, j'ai vu aux infos tes exploits judiciaires. Je suis passé devant ta plaque d'avocate il y a environ trois mois.

Intriguée, elle voulut en savoir plus.

> Et alors ?

> Et alors j'ai attendu que tu sortes. Magnifique, les bureaux en face du jardin du Luxembourg.

Camille ressentait un sentiment étrange, confus, mais qui l'emportait vers une douce quiétude. Au milieu de la nuit, elle tchatait avec un quasi-inconnu : vingt-sept ans, presque une éternité. Comment cette femme si appliquée, qui réservait le « lâcher-prise » aux quelques articles qu'elle pouvait lire çà et là au hasard des salles d'attente de médecins, cette femme qui érigeait la logique comme la seule solution aux écorchures de la vie, pouvait-elle prendre du plaisir à retomber dans des satisfactions oubliées depuis... l'adolescence ?

Elle se sentit flattée des propos de Stephen, mais quelques soubresauts de son implacable et bien ancrée réserve ressurgirent.

Tu es passé, tu m'as attendue et reconnue ? Ben voyons ! Et pourquoi ?

La réponse de Stephen ne tarda pas :

Oui à tes trois questions. Tu n'as pas
changé Camille, même façon de réagir.
Le hasard existe, l'envie aussi, tu sais !

Il poursuivit sans attendre la réponse de Camille :

Tu ne réponds pas, j'aimerais te revoir,
connaître la brillante avocate que tu
es devenue, je me souviens, c'était ton
objectif au lycée. Tu dois être heureuse !

Brillante avocate ! Brillante menteuse
surtout ! Tu aimes toujours les livres ?

Évidemment, et tu le sais !

Oui ! J'ai relu, plus exactement lu
« Oliver Twist » ce soir !

Eh bien, viens m'en parler à la boutique si tu veux ?

Elle tergiversa un moment, les doigts hésitant sur le clavier.

Très bien, je passerai avec une amie la semaine prochaine entre midi et deux, le jour où tu es disponible.

Je suis tous les jours à la boutique la semaine prochaine, je t'attendrai !

Je n'aurai pas trop de temps, à bientôt.

Il ne releva pas la remarque de Camille.

À bientôt, bonne nuit !

Elle éteignit les lumières du salon, ferma son ordinateur et monta se coucher. Elle entrebâilla la porte de la chambre de Lucas. Puis partit se glisser dans son lit, l'esprit bercé par le souvenir des embruns océaniques. Elle ne ferma pas les volets ce soir-là, la nuit était belle.

L'activité du cabinet, toujours très intense au début du mois de septembre, ne laissait que peu de temps libre. Les matinées réservées à l'étude des dossiers et aux rendez-vous successifs précédaient les interminables plaidoiries de l'après-midi, s'éternisant parfois jusqu'à plus de 20 heures.

Pendant cette période, Camille voyait peu ses enfants. Malgré cet emploi du temps chargé, elle s'imposait de prendre le petit déjeuner tous les matins avec eux. Richard, déjà présent à son bureau dès 8 heures, lui en avait fait la remarque, mais rien ni personne n'aurait pu la faire changer d'avis. Elle préférait, pour sa pause de midi, grignoter, entre deux rendez-vous, une salade achetée au snack du coin de la rue, plutôt que de manquer ce moment de partage entre les bols de corn-flakes qui débordaient et les odeurs de pain grillé.

Lorsqu'elle rentrait le soir, les devoirs étaient faits, la maison en ordre, et le repas attendait d'être réchauffé dans le micro-ondes.

Le couple employait Bousara, une femme d'origine africaine, depuis la naissance de Lucas. La plupart du temps, elle ne s'occupait que du ménage et du repassage de la maison. Mais lorsque le besoin s'en faisait sentir, elle se transformait en véritable maîtresse de maison ; son caractère bien trempé lui permettait de venir à bout des caprices de Lucas et des bouderies de Vanessa avec une stupéfiante facilité. Elle récupérait Lucas à la sortie de son école, Vanessa à la descente du RER, elle gérait les devoirs, le repas des enfants, en plus de ses occupations habituelles.

20 heures venaient de sonner à la pendule de l'entrée lorsque Camille se gara sous le porche ; elle entra par la porte de service qui donnait directement dans la cuisine.

— Bonsoir Bousara, tout s'est bien passé ? s'enquit-elle tout en retirant ses escarpins afin de laisser enfin respirer ses pieds meurtris par une longue journée de piétinements, à arpenter les salles d'audience du tribunal de grande instance de Créteil.

— Oui madame, sans problème. Vanessa a fait sa crise de mauvaise humeur, mais après deux portes fermées un peu violemment, tout est rentré dans l'ordre.

— Merci Bousara, vous êtes un ange ! Que ferais-je sans vous ?

— Eh bien, vous trouveriez une autre « Bousara », mais je ne suis pas sûre que ce soit possible, insinua l'Africaine dans un grand éclat de rire communicatif.

Camille appréciait cette femme qui avait su, avec naturel, gagner la confiance du couple.

— Dépêchez-vous maintenant, votre mari va s'impatienter.

— Oh, vous savez, il y a un match de football ce soir, alors je ne suis pas persuadée qu'il m'attende, tout tremblant d'impatience !

— Alors, demain peut-être ? plaisanta Camille.

— On va dire ça, madame, poursuivit Bousara, reprenant son rire si particulier. À demain les enfants ! cria-t-elle depuis le bas des escaliers.

La voix de Lucas se fit entendre :

— À demain Bousara !

— Vanessa, tu pourrais dire bonsoir, s'agaça Camille en tapotant sur la rampe de l'escalier.

— Ne vous inquiétez pas, madame, elle doit avoir ses deux gros Cotons-Tiges dans les oreilles.

Camille posa sa main sur l'épaule de Bousara et la raccompagna.

— Au fait, je vous ai préparé du veau avec une sauce de chez moi, vous m'en direz des nouvelles. Les enfants se sont régalés.

Camille ouvrit la porte d'entrée.

— Bonne soirée, merci !

— Votre mari n'est pas encore là ? s'inquiéta Bousara tout en s'avançant dans l'allée.

— Non… encore du travail, répondit Camille.

— Ce n'est pas grave, comme cela, vous profiterez tranquillement de mon plat. Avec un petit verre de rosé, ce sera parfait.

Puis Bousara s'éloigna.

Camille ferma la porte et s'affala sur le canapé. Lucas descendit et embrassa sa mère.

— Mon fils, viens dans mes bras, que je te serre fort !

— J'en ai marre que tu rentres tard, avoua-t-il tout en posant sa tête sur le ventre de sa mère.

— Je sais, mon fils, je sais. Nous avons beaucoup de travail, avec papa.

Lucas, avec une enfantine et directe franchise, interpella sa mère :

— Pourquoi ne changes-tu pas de travail ? Tu pourrais venir me chercher tous les jours à l'école, comme la maman d'Erwan et de Nicolas.

Camille retint sa réponse, préférant réfléchir. Elle caressa doucement la chevelure de son fils qui ne pouvait pas voir son visage.

Il insista :

— Alors maman ?

— D'habitude je ne rentre pas si tard, c'est la rentrée, tous les clients souhaitent que leurs dossiers avancent...

Lucas se leva ; il montait déjà les escaliers tout en criant de rage :

— C'est toujours la même chose, avec papa, vous n'êtes jamais là !

— Lucas... !

La porte de sa chambre venait de claquer.

Camille le savait, ses enfants souffraient de ses arrivées tardives. Dans l'obligation d'être le parfait exemple de la femme moderne, celle qui réussit sa vie familiale et sa carrière professionnelle, elle avait toujours pensé que l'absence qu'elle imposait à ses enfants n'était qu'un passage difficile mais supportable, et que cela changerait... un jour ! La contrepartie de l'aisance financière n'était-elle pas la plus évidente des justifications ?

Elle essayait de se persuader que sa situation de femme, de mère et d'avocate suffisait à son épanouissement et que, dans son cas, on n'avait pas le droit de se plaindre.

Les arrangements qu'elle concédait à sa conscience finirent pourtant par la rattraper ; si elle abdiquait, la vie continuerait, pareille, avec les mêmes problèmes. Des périodes de doute s'installèrent, de plus en plus intenses, de plus en plus rapprochées.

La salle de sport, les sorties entre copines, voilà les remèdes que Camille appliqua à ses habitudes de vie, tout en étant persuadée que ce brin de liberté ne suffirait pas à résoudre ses questionnements mais les apaiserait tout au plus : un abonnement pour suer, pédaler, courir, et quelques notes de restaurant furent la solution minimale qu'elle s'imposa.

Elle s'enferma dans l'obligation d'être heureuse : le bonheur et l'obligation, elle le savait cependant, c'était une impossible association !

Ce soir-là, elle passa plus de temps que d'habitude avec ses enfants. Lucas eut droit à la lecture d'un extrait d'*Oliver Twist*. Ce jeune garçon en couverture l'intriguait depuis près d'une semaine : pourquoi sa mère avait-elle acheté ce livre ? Sa curiosité fut rapidement satisfaite. Camille n'avait pas encore terminé la dixième page qu'il plongeait déjà dans un sommeil apaisé. Le style de Charles Dickens lui paraissait bien trop soporifique.

Elle remonta la couverture et laissa allumée une petite veilleuse dessinant un halo de lumière bleutée au-dessus du lit.

Elle sortit dans le couloir et frappa à la porte de la chambre de sa fille.

— Oui, tu peux entrer maman, je t'ai entendue.

— Ça va toi ? Bousara m'a dit que…

Camille n'eut pas le temps de terminer.

— Elle est chiante, toujours derrière moi ! s'énerva Vanessa tout en poussant de rage ses classeurs.

— Elle veut bien faire, voilà tout !

— « Tu as bien fait tes devoirs ? Je vais vérifier tout ça », c'est pénible d'entendre ça. Je n'ai plus dix ans !

— Calme-toi, allez, viens là ! Tu n'as plus dix ans, mais je peux te prendre encore dans mes bras ?

— Tu es nulle, maman, bien sûr !

— Dis-moi, tu as retrouvé tes copines ?

— La plupart excepté Alison, ça m'agace, mais avec ses options bizarres, c'est logique.

— Et peut-être de nouveaux beaux jeunes hommes ? poursuivit Camille tout en frottant l'épaule de sa fille.

— Ils sont tous moches, que des laiderons !

— Évidemment, pas un de beau, assura Camille.

— Tu te moques de moi, non ?

— Pas du tout… pas du tout, tous moches !

— Vraiment nulle !

Vanessa soupira de dépit.

— J'arrête de t'embêter, je te laisse travailler, ne te couche pas trop tard.

— O.K., maman.

Camille embrassa sa fille sur le front et disparut dans le long couloir de l'étage. Elle descendit dans la cuisine et fit réchauffer le plat préparé par Bousara. Richard n'était toujours pas rentré.

Installée dans le canapé, elle déposa son assiette sur la table du salon. La fourchette dans une main et la télécommande dans l'autre, elle zappa un long moment avant de porter son choix sur une émission de téléréalité. Les participants, avachis sur des transats au bord d'une piscine, essayaient de « philosopher » sur le sujet que la production venait de leur proposer : *Doit-on tout partager dans un couple ?* Camille sourit, rit même aux remarques des participants qui finirent par conclure que lorsque l'homme serait prêt à partager l'ensemble des tâches ménagères et surtout l'aspirateur, alors oui, un couple serait prêt à tout partager !

— Reposante, cette émission ! murmura-t-elle avec ironie tout en déposant son assiette dans l'évier.

Son portable vibra, sans doute Richard qui annonçait son départ du bureau.

Désolée pour demain, rendez-vous urgent avec des fournisseurs à 13 h ! Bises, une autre fois si tu veux ?

Camille grimaça ; elle avait proposé à Amélie de l'accompagner chez Stephen, elle ne souhaitait pas y aller seule. Elle commença à rédiger sa réponse :

> Vendredi, peut-être si tu...

Elle hésita et effaça le texto avant de confirmer à Amélie qu'elle s'y rendrait quand même, malgré son absence.

> Pas grave, j'irai faire une visite rapide. Bonne nuit. Bises, à bientôt !

Sans attendre la réponse de son amie, Camille éteignit son portable. Richard poussa enfin la porte. Tout en dégrafant sa cravate, il embrassa rapidement sa femme.

— Je suis crevé, annonça-t-il tout en se servant un premier verre de whisky.

— Tu as faim ? Bousara nous a gentiment préparé à manger, c'est excellent !

— C'est chaud ? demanda-t-il, crispé, presque agressif.

Camille le fixa un instant avant de s'approcher et de répliquer sur le même ton :

— Bien sûr que non ! Je ne sais jamais à quelle heure tu rentres !

— J'ai du boulot !

— Pas moi, peut-être ?

— Tu es rentrée beaucoup plus tôt ! Il faudrait que tu fasses attention, nous avons beaucoup de clients.

Cette dernière remarque fit exploser Camille.

— Tu me fatigues avec « les clients », ils m'emmerdent tous ! se mit-elle à crier.

— Calme-toi, les enfants dorment, fit-il tout en lui signifiant de la main de parler moins fort.

— Justement, les enfants, parlons-en ! Tu te souviens que tu en as deux ? Lucas vient de me demander de changer de métier ! Ils en ont assez de ne pas nous voir. Tu peux le comprendre, non ?

Les yeux injectés de sang, la respiration courte et saccadée, Camille semblait incontrôlable. Elle s'écroula, les coudes posés sur la table, le visage perdu au creux de ses mains. Les pleurs se mêlèrent aux cris. Richard, tout en continuant à boire son verre, tenta de tempérer sa réaction :

— Camille, que t'arrive-t-il ? Allons, reprends-toi !

Elle leva la tête ; quelques mèches de cheveux humides de larmes restèrent collées à son visage, les mouvements rapides de sa poitrine laissaient deviner un état de stress intense. Elle semblait hors de contrôle.

— Vous m'emmerdez tous ! hurla-t-elle une nouvelle fois. Les clients, toi, les enfants, ma mère, les amies, vous me faites chier ! J'ai envie de vivre, putain, tu comprends ce que ça veut dire : vivrrrrre !

Camille claqua la porte de la baie vitrée, traversa la terrasse et descendit en courant les escaliers. Elle s'allongea dans l'herbe, ses yeux fixant le ciel. Les étoiles scintillaient avec cette couleur blanc orangé caractéristique des nuits de fin d'été, lorsque la fraîcheur nocturne contraste avec les journées encore chaudes. Elle voulait se calmer, retrouver la maîtrise de son esprit.

Elle balançait sa tête de chaque côté pour rafraîchir ses joues brûlantes, la fraîcheur caressait son visage, elle respirait plus régulièrement.

La remarque blessante de Richard l'avait excédée, mais pourquoi cette déferlante de réactions négatives, bien au-delà de la norme et du raisonnable ? Combien de fois avait-elle supporté cette situation ? Pourquoi réagir de la sorte maintenant ? Pourquoi la norme ? Pourquoi le raisonnable ? Pourquoi... ? Toutes ces questions défilaient dans ses pensées sans qu'elle puisse y apporter la moindre réponse.

Camille avait peur ; pour la première fois, elle perdait le contrôle de ses émotions. Elle n'avait pas su maîtriser sa colère ni gérer sa tristesse à la suite de la remarque de son fils.

Elle resta allongée près d'un quart d'heure avant que Richard ne vienne à sa rencontre.

— Ça va, tu t'es calmée ? demanda-t-il maladroitement tout en lui tendant son paquet de cigarettes.

Camille bascula sa tête en arrière ; Richard était accroupi.

— Non, merci, mais c'est gentil, je fume trop. Viens plutôt t'asseoir à côté de moi, lui proposa-t-elle tout en saisissant sa cheville.

Richard s'assit à côté de sa femme. Il la regarda, presque gêné, il semblait préoccupé.

— Tu es sûre, ça va ? insista-t-il sur un ton inhabituellement attentionné.

Camille lui sourit et posa sa main sur sa cuisse. Elle aurait souhaité un geste de tendresse, mais rien ne vint. Il était assis, le regard droit devant lui, fixant les lumières de la ville de Paris au loin.

— Si tu veux te reposer un peu, prends quelques jours. La rentrée des enfants, je ne m'en suis pas occupé, tu as dû tout gérer. Je comprends, accorde-toi un peu de repos, proposa-t-il.

— Ça devrait aller, je suis crevée, c'est tout.

— Va voir le médecin, il te donnera quelque chose qui t'aidera, j'en suis sûr.

Camille se leva, ferma sa veste et le regarda dans les yeux :

— Cela fait deux semaines que je prends des saloperies pour me calmer !

— Ah bon ?

— Oui, quelques jours après le retour d'Arcachon…

— Pourquoi ne m'as-tu rien dit ? s'étonna-t-il avec sincérité.

— Si, Richard, évidemment que je te l'ai dit… mais tu n'as pas entendu.

— Ah… désolé.

— Ne sois pas désolé, tu ne fais pas attention, c'est tout. La boîte de comprimés est sur l'étagère à bouteilles dans la cuisine. Je l'ai posée là pour que Lucas ne puisse pas l'attraper. Tu ne l'as jamais remarquée ?

— Si… bien sûr. Je pensais qu'il s'agissait du traitement de Vanessa pour son asthme.

– C'est bien ce que je dis, tu ne fais attention à rien. À quoi servirait son traitement sur l'étagère ? Tu sais qu'elle doit toujours l'avoir avec elle ?

– Oui, dit-il simplement, comme pour s'excuser.

Elle rentra dans la maison et avala deux comprimés avec un grand verre d'eau.

– Allons nous coucher, il est tard ! déclara Richard tout en verrouillant la serrure de la baie vitrée.

– Non attends, laisse ouvert.

– Pourquoi ? Il est tard.

Camille attrapa son paquet de cigarettes.

– En fait, j'ai changé d'avis ! Je vais la fumer, cette clope.

Richard ne dit rien, il monta se coucher. Camille était épuisée, mais elle n'avait pas sommeil.

– 11 –

Un matin… comme ça !

La plupart du temps, la vie s'écoule paisiblement, les jours passent à l'infini comme une éternelle répétition. Nous ressentons de la joie, de la tristesse, du bonheur, de la nostalgie, de l'amour parfois, tous ces sentiments éphémères qui nous font sentir que l'on existe.

Et puis, il y a des jours qui ne ressemblent à aucun autre. Une rencontre, une parole, un simple regard nous changent à tout jamais.

Ces jours si rares, ils débutent par un matin… comme ça !

6 h 30. Le jour commençait à peine à se lever, Camille n'avait pas beaucoup dormi. Immobile dans le lit, elle regardait depuis près d'une heure la lumière qui commençait à percer à travers les persiennes. Elle se dit qu'elle n'aurait pas dû prendre une double dose de calmants la veille ; elle avait l'impression de

flotter dans un brouillard épais. Les premiers sons de la maison qui se réveillait lui parvenaient, lointains.

— Maman, lève-toi, pourquoi tu n'es pas venue me réveiller ? demanda Lucas tout en sautant sur le lit de ses parents.

Richard, déjà dans la cuisine, préparait le petit déjeuner.

Elle se retourna doucement, la bouche pâteuse et les yeux gonflés par le sommeil artificiel.

— Mais où est ton père ?

— Déjà en bas, tu es malade ?

— Non, non, je vais me lever, dit-elle d'une voix fade au débit ralenti.

Camille s'assit sur le rebord du lit et prit sa tête entre ses mains.

— Maman, ça va ? s'inquiéta Lucas.

— Oui, mon fils, viens là, près de moi. J'ai mal dormi, voilà tout.

— Je vais déjeuner, j'ai trop faim !

Lucas descendit engloutir ses deux bols de corn-flakes tandis que Camille se dirigeait d'un pas lent et hésitant vers la salle de bains. Elle fit couler l'eau froide tout en s'appuyant, les deux bras tendus, contre le rebord du lavabo. Elle leva la tête face au miroir et remarqua ses cernes et ses yeux bouffis par l'effet de la double dose de benzodiazépines.

« *Ben ma vieille, tu as vu la tête que tu as !* » se dit-elle tout en tapotant ses joues.

L'eau coula un long moment sur le gant de toilette avant qu'elle ne l'applique sur ses yeux. La tête en arrière, elle rinça à plusieurs reprises le gant avant de le redéposer sur son visage.

Camille descendit enfin, son petit déjeuner était prêt. C'était suffisamment rare pour que, même dans un demi-sommeil, elle le remarque. Elle s'installa à table.

— Tu as vu, maman, papa a préparé ton plateau, déclara fièrement Lucas tout en détaillant du doigt le bol de café fumant juste à côté des trois tartines de pain suédois beurrées, sans oublier la tasse d'expresso.

Elle se retourna vers Richard, presque gênée :

— Merci ! dit-elle simplement.

— De rien, j'ai même pensé au « petit noir » que tu prends toujours en dernier. Je ne remarque peut-être pas les boîtes de comprimés, mais ce que tu prends au petit déjeuner… je n'ai pas oublié, fit-il, embarrassé.

Richard, sans le montrer, avait été touché par le comportement de Camille la veille au soir. Il savait que depuis quelques mois, elle était très fatiguée ; le travail et les enfants lui pompaient beaucoup d'énergie, mais il n'imaginait pas que sa femme allait aussi mal. Il aurait souhaité en discuter afin de l'aider et la réconforter, mais une fois de plus, l'empreinte éducative de la famille Mabrec fit son effet : ne pas mettre en avant une faiblesse, ne pas en parler, comme si chuchoter un souci le rendait moins important.

Il pensa que s'il soulageait pendant quelques semaines Camille dans les tâches quotidiennes, cela apaiserait sa fatigue et son mal-être.

– Dorénavant, tous les matins, je préparerai les quatre plateaux avant de vous réveiller, qu'en dites-vous, les enfants ? proposa-t-il.

Vanessa et Lucas acquiescèrent, enthousiastes, à la proposition de leur père. Camille ne dit rien, un simple rictus convenu pour le remercier d'y avoir pensé. Elle savait que la promesse des petits déjeuners ne tiendrait pas plus longtemps que l'engagement des repas de famille : le temps d'y croire l'espace d'une minute.

Camille demanda à Richard de déposer Lucas à son école ; elle ressentait le besoin de traîner seule, de prendre son temps pour se préparer. Elle arriverait plus tard au bureau ce matin.

Elle fit rapidement le tour de la maison afin de ranger tout ce qui pouvait traîner : la cravate de Richard sur le canapé, les jeux vidéo de Lucas disposés en vrac sur le parquet du salon, la chambre de Vanessa où les essayages du matin, déposés sur le lit, n'avaient pas eu le temps de faire l'aller-retour jusqu'à l'armoire.

Avant de se glisser dans la baignoire qui débordait de mousse, elle alluma le lecteur CD et laissa défiler les notes de piano apaisantes de *River Flows in You.*

Son esprit divaguait, elle pensa à Stephen. Devait-elle aller le voir comme prévu ? Peut-être retarder d'un jour ou deux le temps de… ?

— Le temps de quoi ? murmura-t-elle tout en s'enveloppant d'une large serviette.

Elle préféra se maquiller plus légèrement que d'habitude : un fond de teint léger pour estomper les marques de fatigue, un trait de crayon noir pour souligner le vert de ses yeux, et un rouge à lèvres lie-de-vin.

Camille fouilla dans son armoire, elle hésita un long moment. Elle n'avait aucun rendez-vous programmé dans la journée, seulement quelques dossiers à traiter. Elle eut envie d'un peu de fantaisie et remplaça l'habituel ensemble tailleur-escarpins par une jupe à taille haute rouge, une marinière assortie à épaulettes et des bottines à talons en cuir abricot.

Elle arriva au cabinet à 10 h 30. Lorsqu'elle entra dans le hall, Claudia discutait avec Loïc, avocat stagiaire depuis quelques mois.

— Bonjour, tout va bien ? demanda-t-elle tout en se dirigeant vers la porte de son bureau.

— Bonjour, oui, tout… Claudia ne termina pas sa phrase.

Tous deux fixaient Camille avec surprise. Loïc ne s'attarda pas et partit se replonger dans le classement des archives.

— Bon courage, Loïc, lui lança-t-elle avant qu'il ne disparaisse dans le couloir.

— Merci madame.

– Eh bien, Claudia, que se passe-t-il ? Je vous fais peur ou quoi ?

– Non, c'est que… Elle tergiversa. Nous n'avons pas l'habitude de vous voir… comme ça… enfin…

Claudia scrutait sa patronne des pieds à la tête.

– J'avais envie de couleur aujourd'hui, de changement.

– Si je peux me permettre, vous devriez « changer » plus souvent, cela vous va très bien.

– Merci Claudia, c'est très gentil. Je n'ai pas de rendez-vous, j'en ai profité. Imaginez Duronin me voyant dans cette tenue, je suis sûr qu'il change de conseil à la minute, plaisanta Camille tout en déposant son sac sur le fauteuil en face de son bureau.

– C'est sûr ! confirma Claudia, hochant la tête en signe d'approbation.

– Mon mari est là ?

– Déjà au palais pour l'affaire Delourt, il paraissait préoccupé. Isabelle l'a accompagné, les bras chargés de dossiers. Ils ne devraient pas rentrer avant la fin de l'après-midi.

Camille s'installa à son bureau et se plongea dans l'une des affaires qu'elle devait traiter avant la fin de la journée. Elle ne présentait pas de difficultés particulières, simplement une vingtaine de pages à valider. Elle boucla la relecture en à peine une heure.

Elle vérifia l'heure sur son téléphone : 11 h 30.

Elle se recula dans son siège et fixa son ordinateur ; le curseur clignotait dans la barre de recherche Google. Elle tapa avec hésitation le nom de la librairie de Stephen à Paris : *Des mots et des maux.*

La page de résultats apparut avec une photo du magasin, les coordonnées, les horaires et une dizaine d'avis de clients ; elle parcourut les trois premiers :

« *Gentillesse, accueil, conseil, professionnalisme pour cette librairie spécialisée dans les ouvrages anciens.* »

« *Excellente librairie, libraire à l'écoute, toujours de bon conseil !* »

« *Très bien. On y trouve tout, même du thé !* »

....

Elle sourit et nota l'adresse sur un Post-it.

Camille fit un geste de la main vers Claudia tout en lui signalant qu'elle serait de retour en début d'après-midi.

Après cinq minutes de marche, elle s'engouffra dans la station Saint-Sulpice, sur la ligne 4 du métro ; six arrêts plus tard, elle arriva à Châtelet–Les Halles et se dirigea vers le boulevard de Sébastopol qu'elle traversa en direction de la rue du Temple.

Des mots et des maux se situait dans une ruelle piétonne dont l'entrée, matérialisée par un porche en pierres de taille, donnait une impression immédiate de profonde sérénité. Camille n'entendait que le bruit de ses talons sur les pavés.

La librairie, située au fond de l'impasse, était entourée d'un atelier de peinture et d'un petit immeuble d'habitation à l'escalier étroit. Une épaisse glycine mal taillée dessinait le contour de la devanture en bois, à la peinture bleue écaillée. De larges et hautes vitres laissaient apparaître des tas de livres disposés çà et là, au hasard des étagères.

Elle s'approcha et remarqua, tout au fond de la boutique, deux personnes assises autour d'une table ronde en fer forgé gris, avec plusieurs ouvrages entassés devant elles, qu'elles feuilletaient au gré de leur envie. Un des lecteurs se leva et se dirigea vers un buffet où une bouilloire et des dosettes de thé patientaient, à la disposition des clients.

Camille posa sa main sur le vieux loquet de bois usé par les années, et chercha Stephen du regard. Le souvenir flou de son visage d'adolescent lui revint à la mémoire ; elle se focalisa sur l'image de Stephen posant devant sa boutique, persuadée qu'elle ne pourrait le reconnaître que de cette façon.

Son cœur battait plus vite que d'habitude ; elle ressentit la moiteur de sa main, se racla la gorge à plusieurs reprises comme pour évacuer une appréhension qui lui paraissait démesurée, mais qu'elle ne pouvait contenir.

— Allons, calme-toi, calme-toi, répéta-t-elle à voix basse tout en hésitant, la main crispée sur la poignée.

Immobile, Camille paraissait tétanisée, cherchant à ralentir le rythme de sa respiration par de longues et amples inspirations.

Envahie par l'angoisse, elle recula de quelques pas, jeta un dernier coup d'œil vers la boutique et préféra rebrousser chemin.

« *Que t'arrive-t-il, ma vieille ? Un autre jour... peut-être* », se dit-elle tout en accélérant le pas en direction du porche.

Le grincement de la porte de la librairie se fit entendre.

— Camille !

Une voix posée, chaude, avec cet accent anglais inimitable dont les vibrations semblaient arriver jusqu'à elle, l'enveloppa.

Elle s'arrêta et ferma les yeux, mais ne se retourna pas.

« Camille » : comment pouvait-on prononcer son prénom de façon si tendre, si attentionnée ? Comment autant de sensibilité dans un mot, un seul mot ?

Que devait-elle faire ? Continuer son chemin ou se retourner et découvrir cet adolescent dont elle se souvenait, cet homme, maintenant, cet inconnu, cette voix qui l'attirait ? Elle ne savait pas, ne savait plus ; tout s'embrouillait dans son esprit.

— Tu te souviens de la dernière chose que je t'ai dite ? lui demanda-t-il.

Ils étaient à quelques mètres l'un de l'autre. Stephen, le regard toujours fixé vers le porche, de la ruelle, ne pouvait voir le sourire de Camille.

— Oui : « Seulement si tu en as envie ! »

— Alors, retourne-toi et « seulement si tu en as envie », je t'offre un thé ?

Camille lui fit face, gênée comme une adolescente ; elle s'avança de quelques pas, il fit de même. S'ils tendaient les bras, ils pouvaient se toucher.

Ni l'un ni l'autre ne savaient quoi dire, ils souriaient, ils se regardaient puis de nouveau baissaient le regard. Camille prit maladroitement l'initiative.

— Tu… n'as pas changé…

167

– Merci, quelques rides et quelques années en plus... répondit-il tout en lui tendant sa main qu'elle saisit sans hésitation.

Ils se dirigèrent vers la librairie.

– Par contre, toi, tu as changé !

– Ah bon ! Pourquoi donc ? demanda-t-elle, inquiète.

– Parce qu'il y a... ne comptons pas, cela vaut mieux, tu n'aurais jamais osé t'habiller en rouge et cela te va très bien !

Elle secoua la tête en riant. Camille était bien, elle se sentait revenir sur cette plage d'Arcachon où Stephen prononçait souvent des mots qui savaient la surprendre, la déstabiliser même parfois.

– Pourquoi ris-tu ?

– Parce que tu n'as pas perdu cette façon si naturelle de dire des choses auxquelles je ne m'attends pas.

Il l'invita à entrer tout en effleurant ses reins d'un geste de la main.

– Allons nous asseoir, toujours amatrice de thé ?

– Non, j'ai bifurqué vers le café. Mais sers-moi un thé, j'en ai envie.

– Tu es sûre ?

– Oui ! affirma-t-elle.

Elle s'assit sur une des chaises que les clients venaient de libérer, pendant que Stephen préparait les deux tasses.

– Ceylan, ça te convient ?

– Oui, bien sûr !

Camille fut interpellée par une odeur forte qui emplissait la petite boutique, une odeur agréable, mais indéfinissable.

Stephen posa les deux tasses et s'assit à son tour.

— Je suis heureux que tu sois là, sincèrement heureux ! avoua-t-il.

— Moi aussi, mais… Elle hésita… C'est étrange.

Stephen ne répondit pas, il regardait Camille avec ce fameux sourire identique à celui de Simon Baker, l'acteur australien auquel il ressemblait. Le dernier client venait de sortir de la boutique ; un tendre silence s'installa, seul le cliquetis des cuillères remuant le thé fumant se faisait entendre.

Stephen ne la quittait pas des yeux. Camille n'éprouvait aucune gêne de sentir ces yeux posés sur elle ; la bienveillance de son regard était semblable à la chaleur de sa voix. Elle ne faisait aucun jugement, ne se posait aucune question ; quelques frissons de plaisir parcoururent sa peau.

Elle essaya de soutenir son regard, mais elle n'y parvint pas ; elle préféra les va-et-vient rassurants entre le mug de thé et le visage de Stephen.

Elle avala une dernière gorgée avant de demander :

— Excuse-moi, c'est quoi cette odeur ? Ça ne ressemble pas à du vieux papier…

— Ça te dérange ? Je peux stopper le diffuseur, proposa Stephen tout en reculant sa chaise pour se diriger vers le meuble situé derrière lui.

— Non, au contraire, c'est agréable, mais je n'arrive pas à définir ce que c'est, ni sucré ni fleuri…

— Ce sont des élixirs qui ont la propriété de rééquilibrer les émotions.

— Rien que ça, rééquilibrer les émotions !

Camille inclina la tête en signe de perplexité.

— C'est le docteur Bach, médecin anglais du siècle dernier, qui a isolé les élixirs floraux de plus d'une trentaine de plantes. Cela m'a beaucoup aidé à retrouver l'équilibre il y a quinze ans...

Pour la première fois, il quitta le regard de Camille. Il se leva et se servit une nouvelle tasse.

— Tu en veux une autre ?

— Non merci.

— Tu as faim peut-être, il est déjà treize heures.

— Non plus, dit-elle.

— Je déjeune rarement, je n'y pense jamais. Il y a un snack au coin de la rue...

Camille le coupa ; elle ne souhaitait qu'une chose : entendre sa voix.

— Non Stephen, ni soif ni faim, continue à me parler de tes fameuses fleurs.

Il poursuivit :

— Il y a quinze ans, j'ai perdu ma femme dans un accident de la circulation. Nous étions tous les trois dans le véhicule avec ma fille, à l'époque, elle avait neuf ans. J'ai eu le choix...

Stephen, profondément tourmenté, s'arrêta de parler.

— Je ne voulais pas... s'excusa Camille.

— Ce n'est pas grave, j'ai envie que tu saches !

— Très bien, je t'écoute, répondit-elle, les jambes croisées et les mains posées sur ses genoux.

— Oui, j'ai eu le choix ! En une fraction de seconde, j'ai dû décider qui je sauverais, qui de ma femme ou de ma fille bénéficierait de la protection de mon corps pour résister à l'impact du camion fou qui nous faisait face. J'ai choisi… ma femme conduisait, j'ai sauté sur le siège arrière juste avant le vacarme infernal de l'impact, le crissement de la tôle broyée sur le goudron, et puis plus rien, le silence, le néant, juste cette douleur violente qui me parcourait le dos et cette odeur âcre de fumée. Quelques secondes qui me parurent une éternité… je sentis le souffle chaud de la respiration de ma fille sur mon cou, elle était vivante. La douleur trop forte m'empêchait de me retourner pour voir si Élise l'était elle aussi. Le choc frontal sur l'avant de la voiture ne laissait guère d'espoir, j'ai crié son prénom, aucune réponse. J'ai senti un liquide chaud et épais couler sur mon bras, j'ai d'abord cru qu'il s'agissait de mon sang, mais c'était celui d'Élise qui, je l'apprendrais en me réveillant à l'hôpital, était décédée sur le coup.

— Et… ta fille ? hésita Camille.

— La protection de mon corps l'a sauvée, elle n'eut que quelques contusions et des coupures. Physiquement, ç'a été très difficile pour moi ; j'ai dû subir quatre opérations et huit mois de rééducation, mais je suis vivant, Élise non, et ma fille a perdu sa mère.

— Je ne sais pas quoi dire !

Camille était partagée entre l'émotion et la stupéfaction. Profondément touchée par le récit de Stephen, elle n'arrivait pas à comprendre la facilité avec laquelle il lui racontait cette tragédie, comme on le fait entre vieux amis qui ont l'habitude de se voir, de se faire des confidences sur leurs vies.

Il poursuivit, toujours avec le même naturel :

– J'ai plongé dans la dépression, ma fille m'avait rendu responsable de la mort de sa mère ; nous étions en instance de divorce et elle a cru pendant un certain temps que sa disparition me facilitait la vie, j'étais anéanti. Mes parents se sont occupés de Kayla ; je n'en avais pas la force. J'ai alors rencontré un thérapeute qui m'a fait découvrir des traitements alternatifs pour lutter contre la douleur et la dépression. Efficaces ou non, je ne sais pas, actives ou simple placebo, peu importe, mais les fleurs du docteur Bach m'ont aidé à m'en sortir, et depuis, elles font partie de ma vie. Et c'est aussi depuis cette époque que j'ai décidé de vivre de ma passion... les bouquins. J'ai alors bazardé ce boulot alimentaire de traducteur que je ne supportais plus. Comme quoi, les malheurs sont parfois des opportunités.

– Écoute... je ne sais pas.

Elle hésitait à lui faire part de sa surprise.

– Attends-moi deux secondes ! lâcha Stephen avec un empressement qui contrastait avec la tristesse des minutes précédentes.

Camille entendit grincer l'escalier en colimaçon situé dans un coin de la boutique et qui conduisait au logement de Stephen. Elle entendit ses pas juste au-dessus d'elle, puis un instant de silence. Il redescendit l'escalier aussi vite qu'il l'avait monté et déposa sur la table une boîte en carton blanche avec une étiquette beige où il était inscrit : Eau de parfum – Vivacités de Bach.

– C'est pour toi, je pense que c'est celui-ci qui t'ira le mieux ! affirma-t-il avec une assurance et un naturel qui déconcertèrent Camille.

Elle répliqua sèchement à sa proposition :

– Écoute Stephen, je suis très heureuse de t'avoir revu après tant d'années, mais je ne peux pas accepter ce cadeau... et puis...

– Et puis quoi ?

– Enfin, Stephen, la situation est absurde... nous nous connaissons à peine, tu me racontes ta vie... tout cela est insensé !

– Tu te souviens, quand je t'attendais devant le lycée ?

– Oui.

– Tu te souviens du repas avec mes parents, dans la cabane de pêcheur ?

– Oui, mais... Elle haussa les épaules.

– Tu te souviens de la dune du Pilat ? Combien de fois l'avons-nous grimpée ?

– Oui bien sûr, je me souviens, assura-t-elle, abasourdie par l'assurance de Stephen.

Il regarda Camille dans les yeux et de sa voix vibrante accentuée par les intonations anglaises, il déclara :

– Alors, dis-moi ! Qu'y a-t-il d'absurde et d'insensé ?

– Stephen, nous avions seize ans !

— Et alors, vingt-sept ans t'interdisent d'accepter un cadeau ? Non attends, je sais ! Considère ce parfum comme un test.

— Comment ça, un test ?

— Regarde, il est inscrit : « *Essentiel pour transformer ses ressources intérieures en énergies positives* ». Tu le testes et tu me diras si c'est vrai ! Ce n'est pas un cadeau, un simple test, répéta Stephen, sûr de lui.

Camille hocha la tête et se saisit de la boîte de parfum qu'elle ouvrit, hésitante. À la lecture de la composition, elle sourit :

— Effectivement, ce sera un test, mes parfums habituels ne contiennent pas du tout ce type de composés ! « Centaurée », c'est quoi ? demanda-t-elle.

— Une plante de la famille des chardons.

Camille se mit à rire :

— Super ton cadeau, un bouquet de chardons !

Elle enleva le capuchon et appliqua une pression sur le dos de sa main.

— Qu'en penses-tu ?

— C'est atypique, inhabituel, j'aime bien.

Stephen s'approcha. Camille, restée assise, sentait sa présence toute proche.

— Je peux ? dit-il tout en indiquant le flacon qu'elle tenait encore entre ses mains.

Elle lui tendit l'élixir.

— Camille, lève-toi, s'il te plaît.

Elle sentait sa voix résonner en elle, son souffle contre sa tempe. Elle recula sa chaise et se leva doucement ; Stephen était tellement proche qu'elle fit attention de ne pas le toucher.

— Je peux ?

— Oui, répondit-elle d'une voix étranglée, sans savoir quelle permission elle venait de lui donner.

Avec une extrême lenteur, il dégagea une mèche de cheveux de la nuque de Camille, qu'il déposa sur son épaule. Elle bascula sa tête vers le côté opposé comme si, inconsciemment, elle offrait son cou aux désirs de Stephen. Il pulvérisa un peu de parfum en dessous de son oreille. Elle sentit la douceur des gouttelettes contre sa peau et ferma les yeux.

Il chuchota, elle pouvait sentir son souffle :

— Le meilleur endroit, c'est ici ! Les effluves sont plus intenses, c'est plus enivrant, assura-t-il.

Il effleura le cou de Camille comme s'il voulait caresser sa peau parfumée.

Elle saisit sa main pour la dégager et fit un pas en arrière.

— Je crois que je devrais y aller, bafouilla-t-elle, les yeux errant dans tous les recoins de la boutique.

— Déjà ! Tu n'es pas bien ici ?

— …

— Tu ne dis rien ?

— J'ai passé un très bon moment… on… on reste en contact, lui dit-elle.

— Très bien, c'est toi qui décides.

— Je dois rentrer au bureau, des tas de dossiers m'attendent.

Tandis qu'elle se dirigeait vers la porte, Stephen déposa le flacon de parfum dans son sac.

— Merci.

— Pas de merci, c'est un « test », pas un cadeau.

– Évidemment, un simple test !

Camille sourit et s'approcha du petit bureau situé près de la porte. Elle attrapa un morceau de papier où elle nota son numéro de portable.

Stephen la regardait sans prononcer le moindre mot.

– Bon, je vais y aller.

Elle n'osait pas ouvrir la porte. Il s'avança et appuya sur le loquet.

– À bientôt alors, dit-il tout en cherchant à capter son regard toujours aussi fuyant.

– Oui, à... bientôt.

– La bise peut-être ? proposa-t-il.

Camille s'approcha et embrassa Stephen, un baiser rapide sur chaque joue.

Il la regarda traverser la cour pavée et détailla sa silhouette fine et élégante. À travers sa jupe, il devinait les courbes de ses hanches à chacun de ses pas.

Arrivée sous le porche, elle se retourna et fit un signe de la main rapide, juste avant de disparaître dans la rue du Temple.

– 12 –

Une petite lumière qui scintille…

Il y a deux façons de considérer les épreuves que la vie place sur notre chemin : comme un malheur ou comme une expérience.

Le malheur nous enferme dans la tristesse et le déclin, nous devenons notre propre esclave et plongeons dans le renoncement.

Nous pouvons aussi entrevoir une petite lumière qui scintille au milieu des pleurs et des doutes. Entretenons cette flamme qui un jour, à force d'espoir et de patience, deviendra un magnifique lever de soleil.

Les jours passaient. Camille ne cessait de penser à Stephen. Sa visite à *Des mots et des maux* l'avait profondément troublée. Elle avait remarqué qu'il n'était pas insensible à sa beauté, et elle se sentait glisser dans un jeu de séduction qui, à sa grande surprise, ne lui déplaisait pas.

L'adolescent timide et emprunté qu'elle avait connu était devenu un homme accompli et sûr de lui. Depuis la mort accidentelle de sa femme, Stephen avait changé. Comme il le lui avait avoué avec une déconcertante sincérité, ce traumatisme l'avait transformé ; sa vision de la vie en avait été bouleversée.

Après une période où il faillit basculer dans le néant, il se reconstruisit peu à peu, plaçant avec fermeté les balises des priorités de sa vie. Sa fille, âgée de neuf ans lors de l'accident, fut sa seule raison de vivre pendant plusieurs années. Lorsqu'il sortit de l'hôpital et récupéra Kayla, Stephen abandonna son poste de traducteur dans une banque parisienne et partit vivre à Londres avec elle ; il était encore très fragile et éprouvait le besoin de se rapprocher de ses racines. Ils s'installèrent dans un ancien immeuble appartenant à ses parents, proche de Trinity Square Gardens.

Seul l'étage était habitable, constitué de deux chambres, d'une salle de bains et d'une cuisine. Le rez-de-chaussée, un seul espace de terre battue, servait de garage, quatre voitures pouvant aisément y prendre place. Malgré l'insistance de Julia, Andrew n'y avait fait réaliser aucune amélioration, préférant louer cet espace aux voisins pour leurs véhicules plutôt que d'investir dans l'aménagement d'appartements.

La perspective de confortables loyers ne le fit pas changer d'avis ; l'avenir allait lui donner raison.

Un an après son installation, Stephen utilisa la moitié de la superficie pour ouvrir sa première librairie : *Just a few words*. *Des mots et des maux* ouvrit à Paris six ans plus tard.

Kayla demeura avec son père jusqu'à ses vingt ans, avant de s'installer avec son ami, un sculpteur de dix ans son aîné. Elle l'avait rencontré à l'école des beaux-arts de Londres où elle s'adonnait à sa passion pour la peinture figurative. Des travaux furent entrepris dans la deuxième partie du bâtiment, et Kayla y installa son atelier et une salle d'exposition présentant ses toiles.

Stephen vivait entre Paris et Londres. Lorsqu'il ressentait le besoin de se poser, il choisissait son refuge parisien, réservant la vie londonienne aux périodes plus animées.

Cette nouvelle vie, il l'avait choisie et construite pas à pas, avec patience et abnégation. Durant toutes ces années, la seule contrainte qu'il accepta fut le bien-être de sa fille, fuyant toutes autres formes d'obligations.

Stephen aurait pu refaire sa vie ; c'était un homme séduisant qui n'avait pas besoin de faire beaucoup d'efforts pour attirer l'attention des regards féminins. Il eut de nombreuses aventures qui se terminèrent toujours de la même façon : il se recroquevillait dans ses bouquins, préférant l'odeur du vieux papier à la présence oppressante de ses compagnes.

Stephen assumait totalement son choix de vie, mais les années passaient et les difficultés financières s'accumulaient. *Just a few words* lui appartenait, ce qui lui permit de sauver *Des mots et des maux* de l'appétit féroce des créanciers. Les livres anciens ne faisaient recette qu'auprès des collectionneurs et des amateurs avertis. Il dut se résoudre, sous la pression des banquiers, à intégrer à son offre des œuvres plus contemporaines ; la survie de la boutique du quartier du Marais était à ce prix.

Ses deux boutiques lui procuraient des satisfactions complémentaires : *Des mots et des maux* représentait l'aboutissement de tout bouquiniste ; les clients français étaient de fins connaisseurs de la littérature ancienne et Stephen prenait plaisir à converser de longues heures sur une œuvre ou un auteur.

Just a few words générait un chiffre d'affaires plus important, et cela le satisfaisait, même si l'aspect purement culturel n'était pas toujours au rendez-vous. Les Londoniens et surtout les touristes visitant la capitale anglaise étaient, la plupart du temps, dans l'urgence de la consommation, ce qui provoquait des achats compulsifs dont Stephen avait parfois du mal à comprendre le fondement.

Du balcon du premier étage, il pouvait apercevoir la Tour de Londres et juste derrière le Tower Bridge. Lorsque la nuit tombait, il ne se lassait pas d'admirer le spectacle des lumières éclairant les monuments londoniens. En hiver, quand la nuit se faisait plus précoce, Kayla traînait quelquefois plus tard que d'habitude dans son atelier et montait voir son père, juste pour admirer avec lui la féerie de ce spectacle qui se renouvelait invariablement tous les jours.

Elle se souvenait que lorsqu'ils s'étaient installés dans le vieil appartement, son père lui avait expliqué avec patience et précision l'histoire de chaque monument. Elle n'avait que douze ans et pourtant, elle se remémorait parfaitement les détails effrayants des cachots de la Tour de Londres ou le fonctionnement du mécanisme des contrepoids du pont basculant le plus connu au monde.

Stephen revenait deux à trois fois par an dans l'ancienne cabane de pêcheur d'Arcachon.

À chacune de ses visites, il y demeurait deux ou trois jours, pas plus, le temps d'honorer les multiples invitations et de sacrifier à un rituel de randonnée dont lui seul connaissait la signification. Stephen n'était jamais venu ici avec sa femme, qui n'appréciait pas les zones balnéaires et la chaleur du sud de la France.

Lorsqu'elle eut seize ans, Kayla lui demanda de l'emmener avec lui, ce qu'il fit avec plaisir. Depuis, le père et la fille se rendaient ensemble à Arcachon. Durant trois jours, un silence quasi monacal s'imposait naturellement. Kayla l'accompagnait lors de sa longue randonnée à travers les forêts et les dunes en bordure de l'océan. Elle ne lui posait aucune question, même si quelquefois, elle aurait souhaité percer le cocon de protection qu'il tressait à chacune de leurs visites.

Une seule fois, elle ressentit un profond désarroi chez son père : c'était un jour de décembre, le temps était exécrable, les averses succédaient aux bourrasques de vent, qui soulevaient des paquets de sable venant fouetter leurs visages.

— Tu vois, Kayla, je suis souvent venu ici quand j'avais ton âge.

— Papa, tu crois que c'est le moment de discuter et de s'arrêter ? Avance, que l'on descende rapidement pour se protéger de cette tornade !

Stephen resta immobile, il semblait ne pas entendre.

— À cet endroit, quand le temps est clair, les couchers de soleil sont magnifiques, dit-il tout en indiquant à l'aide de sa canne de randonneur la direction du Cap Ferret, que l'on devinait à peine à travers les épais nuages.

Kayla ne s'était pas arrêtée, continuant à marcher pour enfin arriver en haut des escaliers permettant de descendre la dune du Pilat les pieds plus au sec que lors d'une descente classique.

— Papa, tu viens, mais que fais-tu ? insista-t-elle.

Il ne bougeait pas ; la pluie redoublait et le vent forcissait, pliant les premières rangées de pins.

— Papa ! cria-t-elle une nouvelle fois.

— J'arrive, commence à descendre, lui répondit-il.

— Tu es sûr que ça va ? s'enquit-elle une fois à l'abri d'une des baraques de bois situées en bordure de la forêt.

– Oui, ne t'inquiète pas. Allons-y ! Nous avons encore du chemin avant de rentrer.

Kayla n'osa rien dire, baissa la tête pour se protéger du mauvais temps et marcha dans les pas de son père.

Stephen n'était jamais présent avec ses parents lorsqu'ils venaient séjourner dans la région, deux semaines au mois de septembre. La pression touristique étant plus supportable que pendant la période des vacances scolaires, ils appréciaient l'ambiance du bar des Lagunes où ils retrouvaient avec plaisir leurs amis.

Ils lui demandèrent à plusieurs reprises de venir passer quelques jours chez eux avec Kayla, mais il trouvait toujours une raison pour décliner leur invitation.

Les premières semaines de l'automne s'étiraient lentement, déposant au sol les feuilles des platanes et des saules qui longeaient les quais parisiens. Depuis son retour de vacances, pendant sa pause déjeuner, Camille s'installait sur un banc en bordure de Seine. Face à l'île de la Cité, elle pouvait apercevoir les étals des bouquinistes. Trop loin pour voir Stephen, elle ne traversait jamais vers l'autre rive ; elle sentait sa présence et cela lui suffisait. Elle appréciait ces moments de quiétude où, tout en grignotant son sandwich et en buvant un Coca, elle pouvait laisser divaguer ses pensées.

Camille se repassait en boucle sa visite à *Des mots et des maux*. Une question en particulier revenait régulièrement à son esprit : comment cet homme, qu'elle n'avait pas revu depuis tant d'années, pouvait-il être si naturel, si intime, si proche ? Stephen n'avait à aucun moment évoqué leur passé avec une nostalgie faussement sécurisante. Il s'était contenté de l'accueillir, de lui faire sentir qu'elle l'attirait, de lui raconter une partie de sa vie comme pour lui démontrer qu'il n'était plus ce jeune adolescent qui tremblait en lui prenant la main. En même temps, il avait conservé cette sensibilité et cette façon si talentueuse de l'emmener dans son monde ; tout cela, Camille ne l'avait pas oublié.

Elle retrouvait deux personnages : le souvenir de ce garçon de seize ans qui, si elle le lui avait permis, aurait cédé à tous ses désirs, et cet homme cabossé par la vie et qui avait su en retirer une merveilleuse leçon : la liberté. Stephen représentait le souffle de vie qui lui manquait.

Camille avait peur ; elle savait que si elle décidait de le revoir, l'évidence de l'attirance serait bien trop présente.

Elle qui avait tant critiqué ses deux copines, d'abord Sabine qui avait eu une relation extraconjugale pendant plusieurs mois, puis Amélie qui, après avoir quitté son mari, avait passé son temps à roucouler devant les plus beaux mâles de Montmartre, comment pouvait-elle plonger dans le même piège ?

Camille ne résista pas longtemps à l'envie de le revoir et un jour, sans prévenir, elle se présenta à *Des mots et des maux* un matin vers 11 heures. Stephen ne parut pas surpris.

— Je t'attendais, lui dit-il.

Cette fois-ci, elle ne fut pas déstabilisée par sa repartie.

— Et alors, le thé n'est pas prêt ? lui fit-elle remarquer d'un ton moqueur.

Elle s'assit à la même table que lors de sa première visite, alluma une cigarette et attendit une réaction de Stephen.

Il s'approcha et pencha son visage vers le cou de Camille.

— Je vois que le « test » est concluant, semble-t-il !

— Je me suis laissé envoûter par les « énergies positives ».

— C'est efficace ?

— C'est...

Elle hésita un instant avant de poursuivre :

— Je suis là. Pour me faire revenir, c'est ce qu'il fallait.

— Je suis donc une énergie positive.

Stephen fit une grimace d'approbation avant de conclure :

— Ça me va, j'adore les tests !

Ils partirent déjeuner dans une pizzeria du quartier et puis évoquèrent brièvement leurs souvenirs de jeunesse ; parfois avec pudeur, parfois avec humour. Stephen n'insista pas, Camille n'en avait pas envie non plus ; le passé ne permet pas d'avancer, ils le savaient.

À partir de cette journée du début de mois d'octobre, ils redevinrent les adolescents inséparables qu'ils avaient été. Ils passèrent le plus de temps possible ensemble. *Des mots et des maux* devint leur repaire privilégié ; Camille s'y sentait bien. Quand ils ne se voyaient pas, les échanges de textos étaient quotidiens. Stephen lui fit découvrir quelques livres que, cette fois-ci, elle lut avec attention.

Chaque lecture devenait une redécouverte de cet homme, de ses goûts, de ses attentes, de ses espoirs.

Ni l'un ni l'autre n'osa franchir le pas et basculer vers une relation charnelle, de peur de détruire cette complicité qu'ils construisaient au fil du temps.

Ils avaient pris leurs habitudes – le jeu de séduction était une forme de communication –, conscients que tout pouvait s'écrouler à tout instant. Cela dura cinq mois, jusqu'à cette journée glaciale de la fin du mois de février.

– 13 –

L'instant présent

Aujourd'hui est le plus beau jour de notre vie, car hier n'existe plus et demain ne se lèvera peut-être jamais.

Le passé nous étouffe dans les regrets et les remords, le futur nous berce d'illusions. Apprécions le soleil qui se lève, réjouissons-nous de le voir se coucher. Arrêtons de dire « il est trop tôt » ou « il est trop tard » ; le bonheur est là : il est l'instant présent.

Quelques jours après le week-end passé aux *Vieux Tilleuls*, Camille ressentit le besoin d'appeler sa « petite mère ». Elle souhaitait entendre sa voix et prendre de ses nouvelles après les deux journées éreintantes que Mathilde venait de vivre, entre la préparation des repas, le service à table et l'intendance à gérer, sous l'œil implacable de Maryse.

— Allô Hubert, ça va ?

– Camille ! Quel bonheur de t'entendre ! Comment vas-tu depuis dimanche ? J'espère que Lucas a retenu ma leçon sur la taille des rosiers.

– Il en parle tous les soirs et nous rebat les oreilles pour planter des roses rouges dans le jardin, des *Mister Lincoln*, je crois.

– *Mister Lincoln,* parfait, ce sont les plus belles, enfin mes préférées !

– Et ma « petite mère », elle va bien ? Pas trop épuisée par son week-end marathon ? Quel délice, son coq au vin !

La voix d'Hubert se fit hésitante, presque gênée.

– Eh bien… elle est un peu fatiguée.

– Comment ça, fatiguée ? s'inquiéta Camille. Elle se repose peut-être, je peux lui parler ?

– Le lendemain de votre départ, elle a eu un malaise… rien de grave, ne t'inquiète pas.

– Ça va maintenant ? s'enquit-elle d'une voix angoissée.

Hubert hésita avant de répondre, il ne voulait pas que Camille se fasse trop de soucis.

– … Elle est à l'hôpital pour quelques examens de contrôle.

– Depuis trois jours ? s'étonna Camille.

– Tu sais ce que c'est, les délais entre les examens sont toujours affreusement longs.

Camille l'assaillit de questions :

– Tu as vu le médecin ? Qu'a-t-il dit ? A-t-il les résultats des premiers examens ?

Sans grande conviction, Hubert tenta de plaisanter.

— Tu sais, la médecine fait des miracles, mais pour les examens de routine, alors là... la patience est la reine des vertus.

— Hubert, je suis inquiète, elle va bien ?

— Écoute, je ne vais pas te mentir, Mathilde a refait un nouveau malaise hier.

— Mais enfin, les médecins... Je les appelle. Dans quel hôpital est-elle ? s'agaça-t-elle.

— Camille, tu es gentille, mais les comptes rendus ne sont autorisés que pour les membres de la famille.

— Alors, je viens la voir ce soir !

— Les visites aussi, ma petite, je suis désolé.

— Les appels alors, je peux ? dit-elle tout en tapant avec ses talons contre les pieds de son bureau.

— Oui, mais seulement entre dix-huit et dix-neuf heures.

— Très bien, je l'appellerai ce soir ! affirma Camille.

— Si tu veux, elle sera contente.

— Et toi, tu t'en sors ? Les beaux-parents t'aident un peu au moins ?

— Oui, tout va bien ! répondit-il d'un ton faussement assuré.

Camille insista :

— Hubert, réponds-moi, ils t'aident ?

Sa réponse claqua :

— Non, ta belle-mère est même mécontente de son absence.

Camille tenta de garder son calme, ses propos devinrent saccadés.

— Tu... tu veux... que je vienne t'aider, je passe ce soir... je dormirai sur place.

– Non Camille, reste avec les tiens, je me débrouille. Je te demande simplement de me rappeler après ton coup de fil à l'hôpital.

– Bien sûr ! Je t'embrasse fort !

– Moi aussi, Camille.

Hubert raccrocha.

Camille sortit de son bureau et se dirigea vers Isabelle, la secrétaire de Richard :

– Mon mari est en rendez-vous ?

– Non, il prépare sa plaidoirie pour demain. Je pense qu'il en a pour la matinée.

– Très bien !

Camille frappa et sans attendre la réponse ouvrit la porte ; d'un pas rapide, elle se dirigea vers le bureau et se figea devant son mari, les bras croisés.

– Dis donc, tes parents ?

Richard eut à peine le temps de lever la tête, regardant sa femme d'un air ahuri.

– Euh… quoi, mes parents ?

– Mathilde est à l'hôpital et ils se plaignent de son absence, ils ne changeront jamais !

– Ah oui ! fit-il avant de se replonger dans ses dossiers, sans montrer le moindre signe d'inquiétude.

– C'est tout ce que tu trouves à dire ?

– Camille, j'ai du travail, lui répliqua-t-il.

Elle insista.

– La remarque de ta mère, tu trouves ça normal ?

– Écoute, je suis sûr que ce n'est rien pour Mathilde. L'entretien des *Vieux Tilleuls* demande beaucoup de travail et après notre séjour le week-end dernier, ma mère s'inquiète de ne pas pouvoir tout faire, voilà tout !

Camilla grimaça de dépit.

— Tu me fatigues. Non, pardon, vous me fatiguez, les Mabrec ! bafouilla-t-elle tout en faisant de grands gestes avec ses bras.

Elle sortit en claquant la porte, saisit son sac et son manteau et s'adressa à sa secrétaire :

— Je suis absente pour la journée !

— Camille, vos rendez-vous de cet après-midi ? interrogea Claudia, inquiète.

— Annulez-les, ordonna-t-elle sans hésiter.

— Mais… comment… ?

— Claudia, je viens de vous dire que je suis absente pour la journée !

— Bien sûr, répondit sa secrétaire tout en baissant le regard vers l'écran de son ordinateur.

— À demain !

La porte du cabinet claqua.

Il était à peine 10 heures. Camille marcha au hasard dans les rues adjacentes au jardin du Luxembourg. Elle s'assit à la terrasse d'un café, le serveur lui proposa de s'installer à l'intérieur ; le froid était vif mais elle refusa.

Son regard errait au hasard des passants qui déambulaient sur le trottoir ; elle but le chocolat qu'elle venait de commander et saisit une cigarette qu'elle porta à ses lèvres. Elle ne l'alluma pas, posa son briquet et calmement mais fermement écrasa la cigarette encore intacte.

Elle se leva, laissa un billet de cinq euros sur la table tout en faisant signe au serveur, resté à l'intérieur, de ne pas lui apporter l'addition.

Elle marcha d'un pas décidé en direction du métro, de la rue du Temple, du porche de pierre, puis au fond de l'impasse pavée... *Des mots et des maux.*

La boutique semblait déserte. Camille entra et referma doucement la vieille porte de bois. Tout lui faisait penser à Stephen : l'odeur des vieux bouquins, la musique de fond, douce et rythmée, la tasse de thé encore fumante.

Sa respiration devint plus forte, son cœur s'accéléra comme lors de sa première visite ; mais aujourd'hui, elle n'avait aucune envie de fuir. Elle s'enivra des effluves boisés de Vivacités de Bach, qui se dégageaient du diffuseur.

Elle entendit le pas lent et affirmé de Stephen, le parquet de bois craqua. Il était là, juste derrière elle. Elle pouvait sentir sa respiration calme.

— Ce n'était pas prévu ? chuchota-t-il tout en approchant ses lèvres de l'oreille de Camille.

— Non, tu as raison ! L'imprévisible m'attire, Stephen. Penses-tu que... ?

Il posa son index sur sa bouche.

— Chut ! Ne dis plus rien, laisse-toi porter par le silence, Camille, évade-toi.

Elle ferma les yeux et bascula la tête en arrière.

Il posa ses mains sur sa poitrine, caressant ses seins à travers le polo de cachemire. Il posa ses lèvres chaudes à la base de son cou. Proche de l'étourdissement, elle n'osait pas bouger. Elle le savait, la raison lui imposait de s'enfuir, de le repousser. Tétanisée par le désir, elle ne pouvait pas résister ; elle ne lutta pas et s'abandonna.

Camille s'appuya contre le torse de Stephen qui glissa sa main sous le polo, découvrant cette peau tant convoitée, si douce, si ferme. Il sentait ses seins se tendre à chaque inspiration ; il les saisit et les serra doucement, ne relâchant son étreinte qu'aux premiers gémissements de sa partenaire.

Elle était à sa merci. Camille découvrait un sentiment de liberté comme jamais elle n'en avait connu. Elle allait se donner à cet adolescent, cet homme, elle ne savait plus.

Était-elle sur la dune du Pilat, vingt-sept ans auparavant ? Était-elle dans une boutique du Marais, perdue dans une ruelle de Paris ? Elle n'était nulle part et partout à la fois. Camille perdait le contrôle avec terreur et délice, mais elle partait vers l'inconnu avec un indéfinissable bonheur.

Stephen la porta dans ses bras jusqu'à l'étage de la boutique et l'allongea sur un canapé de cuir vieilli par le temps. Il redescendit fermer sa boutique ; lorsqu'il réapparut en haut des escaliers, il découvrit Camille, le visage apaisé, qui l'attendait ; il ne put s'empêcher de dire :

— Mon Dieu, c'est bien toi, oui, c'est bien toi ! Combien de temps t'ai-je attendue ?

Camille se leva, enleva son polo, dégrafa son soutien-gorge qui tomba à terre et balança ses escarpins au fond de la pièce.

Elle s'approcha de Stephen et le fixa de ses yeux d'un vert cristallin, presque transparent. Elle saisit ses mains charnues et les posa sur ses seins.

— Ne dis plus rien, Stephen, emmène-moi sur la dune, partons ensemble !

— Camille, mon...

À son tour, elle posa sa main sur les lèvres de son partenaire.

— Chut ! Aime-moi, Stephen, de toute ton âme, de toutes tes forces.

Camille l'entraîna jusqu'au canapé où ils firent l'amour à plusieurs reprises, parfois avec fougue, parfois avec délicatesse, mais sans tricher. Leurs corps s'entremêlaient dans une parfaite harmonie, prêts à tous les plaisirs et à toutes les audaces.

Seize heures sonnèrent à la pendule de la boutique ; ils étaient épuisés de plaisir, serrés l'un contre l'autre. Ils n'osaient parler, se regardaient en souriant. Stephen caressait le visage de Camille avec son index, dessinant le contour de ses yeux et de sa bouche.

— Qu'allons-nous faire, Stephen ? demanda-t-elle.

— Tu veux un thé ? proposa-t-il.

Elle se mit à rire.

— Tu n'as pas changé, comme d'habitude, à chaque question embarrassante, tu réponds par une autre question !

— Pourquoi, tu n'aimes pas le thé ? plaisanta-t-il avec son sourire malicieux.

— Bien sûr que si, j'en veux un, fort, très fort... j'ai besoin d'énergie.

Stephen descendit préparer le thé pendant que Camille prenait le temps d'une douche. L'eau brûlante parcourait ce corps qu'elle venait de redécouvrir dans les bras de Stephen.

Quand elle descendit, sa tasse l'attendait avec une assiette de gâteaux anglais. Elle mourait de faim et avala avec plaisir plusieurs pâtisseries aux étonnantes associations de consistances et de couleurs.

— Tu sais Camille, pour répondre à ta question... eh bien je ne sais pas, donnons-nous un peu de temps, si tu veux bien ?

Camille se leva, prit la tête de Stephen entre ses mains, caressa ses cheveux et l'embrassa longuement.

— Bien sûr, du temps... Nous avons besoin de temps, Stephen !

– 14 –

Le temps de l'amour

Le temps de l'amour, j'ai toujours eu peur d'en manquer ! Pas celui pour voir mes enfants grandir, pour être avec mes proches ou mes amis, j'en ai même parfois trop.

Non, j'ai peur de perdre le temps qui me rapproche de toi, de ne pas savoir apprécier l'attente de te revoir, ne pas vivre pleinement toutes ces secondes qui s'égrènent avant de caresser ton visage.

Malgré le froid de cette fin d'après-midi, Camille préféra marcher dans les rues de Paris plutôt que de s'engouffrer dans la station de métro la plus proche.

Elle déambula le long de la rue de Rivoli puis dans les larges allées du jardin des Tuileries, avant d'aller s'asseoir sur le rebord des bassins entourant la grande pyramide du Louvre. Elle regarda les derniers touristes pénétrer dans le passage Richelieu ; le musée venait de fermer ses portes.

Elle venait de se donner à Stephen, cet homme revenu de son passé et qu'elle avait oublié, même si quelquefois elle repensait à sa vie d'adolescente à Arcachon, jusqu'à son départ en faculté. Il avait suffi d'un message, griffonné sur un Post-it, pour qu'elle n'ait plus qu'une envie : le revoir.

Elle avait utilisé tous les artifices pour se mentir, pour ne pas assumer cette attirance presque magnétique entre deux êtres qui se retrouvaient tant d'années après leur dernière rencontre.

Depuis plusieurs mois, une question la taraudait :

« *Et si je ne l'avais pas connu auparavant, serait-ce différent ?* »

Plus elle y pensait et plus la réponse devenait limpide, presque évidente : oui !

Camille était une femme charmante âgée de quarante-trois ans, mais sa vie amoureuse était insatisfaite, tous les ingrédients pour basculer dans des aventures faciles et sans lendemain. Jamais elle n'y avait pensé, malgré les multiples occasions qui s'étaient présentées ; l'adultère était un aveu de médiocrité et de facilité. L'idée de refaire sa vie l'effleurait quelquefois, mais celle de ne pas voir ses enfants se réveiller, tous les matins, dans la même maison la tétanisait. D'autres plaisirs et satisfactions emplissaient son existence ; avec le temps, elle s'était fait une raison... jusqu'à ce que Stephen réapparaisse.

Aujourd'hui, elle venait de briser ses dernières résistances. C'était l'aboutissement d'un long processus de séduction de la part de l'adolescent devenu l'homme auquel elle ne pouvait résister.

Comment allait évoluer leur relation ? Elle n'en avait aucune idée et cela ne l'angoissait nullement. Pour la première fois, l'inconnu l'attirait. Elle qui passait son temps à tout classer, ordonner, résumer, prenait plaisir à cette part d'imprévisible qui bouleversait sa vie.

La nuit commençait à tomber, le froid devenait de plus en plus vif. Camille grelottait. Elle monta dans le premier bus bondé en direction du jardin du Luxembourg. Elle récupéra sa voiture garée sur le parking du cabinet. Il était près de 18 h 30 lorsqu'elle prit la direction de son domicile de Saint-Rémy-lès-Chevreuse.

Elle composa le numéro de la clinique où Mathilde restait en observation. Sa voix fatiguée ne tarda pas à résonner dans le combiné :

— Allô, qui est à l'appareil ?

— Ma « petite mère » ! Comment vas-tu ?

— Camille, quel bonheur de t'entendre ! Hubert m'a prévenue de ton appel.

— Alors, tu nous fais des frayeurs, que se passe-t-il ?

— Rien du tout ! affirma Mathilde tout en masquant une voix vacillante.

— Dis-moi la vérité ! Hubert m'a fait part de tes malaises, que disent les médecins ?

— Ah, les médecins ! Tu fais bien d'en parler, ceux-là, pour ne rien te dire, ils sont champions !

— Comment ça, rien ? Et tous les examens que tu as déjà passés ? s'étonna Camille.

— « Chute de tension », ils n'ont que cette explication à me donner : huit-quatre lors du premier malaise et huit-cinq lors du second.

— Waouh ! Tu es épuisée, ma petite mère, il faut te reposer.

— Je le sais, mais ce n'est pas dans mes habitudes de ne rien faire.

— Entre « ne rien faire » et l'énergie que tu as déployée… il y a un juste milieu, je me trompe ? interrogea Camille.

— Bien sûr… et toi, comment vas-tu ? Et les enfants ?

— Ça va, ils attendent avec impatience les vacances, nous n'allons pas au ski cette année. Peut-être quelques jours à Arcachon avec Vanessa et Lucas, je ne sais pas encore.

Mathilde s'étonna du ton nostalgique employé par Camille.

— Et… Elle hésita… Richard ne viendrait pas avec vous ?

— Non, le boulot, toujours le boulot… il resterait à Paris.

— Tu sais, ça me travaille, ce que tu m'as dit l'autre soir, fit Mathilde.

— Quoi donc ?

— Avec ton mari !

— Ah…

— Tu es là ?

— Oui, je suis en plein dans les embouteillages.

— Alors ? insista Mathilde.

— Ça va, ça va… avec le boulot, nous n'avons pas trop de temps pour nous. Quand les gros dossiers en cours seront traités, cela ira mieux, répondit-elle de façon convenue.

— Je vais te quitter, ma chérie, j'entends le cliquetis des plateaux-repas que je vais avoir le privilège de déguster, plaisanta Mathilde.

— O.K., ma « petite mère », je t'embrasse, je te rappelle très vite.

— Merci d'avoir appelé… et… fais attention à toi.

— Oui, dit simplement Camille avant de raccrocher.

Camille pensait à Stephen, elle ne pouvait s'empêcher de l'imaginer. Que faisait-il à cette heure-ci ? Sans doute fermait-il sa boutique. Bloquée sur le périphérique, elle consulta son iPhone posé sur le siège passager ; aucun message.

« *Plus tard peut-être* », se dit-elle.

Près d'une heure après son départ, Camille aperçut enfin le panneau « Saint-Rémy-lès-Chevreuse » ; encore une dizaine de minutes et elle serait chez elle.

Ses enfants lui manquaient ; elle n'avait qu'une envie, les serrer dans ses bras. Même si Camille assumait ce qu'elle venait de vivre avec Stephen, elle se sentait mal à l'aise vis-à-vis de Vanessa et Lucas ; un sentiment de culpabilité l'envahit.

Sa voiture s'immobilisait dans l'allée lorsque son Smartphone se mit à vibrer.

> 10 000 jours que je t'attends !
> Combien pour te revoir ?

Son téléphone posé sur sa cuisse, Camille colla son front sur son volant, les yeux fixés sur l'écran. Elle sourit et en même temps, quelques larmes ruisselèrent le long de sa joue et tombèrent sur le dos de sa main. Le regard flouté, elle relut une dernière fois les mots de Stephen.

Toujours cette façon si personnelle de dédramatiser l'instant ou de le rendre plus léger, plus beau. Il aurait pu simplement écrire : « *Super moment, j'ai envie de te revoir* » ; ou encore : « *Tu me manques déjà, je t'embrasse* ».

Non, une fois de plus, en quelques mots, Stephen avait su toucher Camille en faisant référence au passé et… à l'avenir, s'il y en avait un, mais pas au présent.

Elle releva la tête et répondit rapidement quelques mots sans ambiguïté ; ses enfants l'attendaient.

> Demain 12 h à *Des mots et des maux*, je t'embrasse.

La porte encore entrouverte, Camille entendit la voix imposante de Bousara :

— Dites donc, madame, ce n'est pas la peine que ce soit si cher !

— Pardon ? s'étonna Camille tout en embrassant Lucas.

— Votre machin, comment ça s'appelle déjà ?

— Mon machin ? Mais de quoi parlez-vous ?

— Votre truc qui sert à tout sauf à téléphoner.

— Ton Smartphone, maman, précisa Lucas.

— Ah oui, eh bien, Bousara, qu'y a-t-il avec mon « machin-truc » comme vous dites !

— J'ai essayé de vous appeler quatre fois cette après-midi. Ah ça, pour entendre votre voix, je l'ai entendue ! Mais pas la vraie, uniquement celle qui ressemble à un perroquet qui répète sa leçon, annonça-t-elle dans un éclat de rire communicatif.

— Mais, je n'ai eu aucun appel de votre part, Bousara, s'étonna-t-elle.

— Comment ça, madame, et ça c'est quoi ?

Bousara tendit son téléphone qui indiquait quatre appels entre 13 et 16 heures vers « Mme C. Mabrec ».

Vanessa descendit embrasser sa mère et découvrit que Bousara venait enfin de se convertir au téléphone portable.

— Waouh, mais c'est quoi ? Il a encore une petite antenne sur le côté ! Mais tu ne peux rien faire avec ça !

— Je téléphone, ma petite, assura-t-elle tout en triturant avec fierté un vieil appareil datant d'une dizaine d'années.

— Trop nul, mais tu ne peux même pas surfer sur le Web ?

— La planche n'était pas fournie avec, ironisa Bousara.

— Tu es nulle ou tu te fous de moi ? répondit Vanessa en haussant les épaules.

— Effectivement, j'ai reçu vos appels, mais ne connaissant pas le numéro, je n'ai pas décroché. Je vous enregistre tout de suite, Bousara.

— Parfait, madame, simplement pour vous prévenir que, mercredi et jeudi prochain, j'ai besoin impérativement de m'absenter à partir de dix-huit heures.

— Pas de problème, j'en parlerai à mon mari, nous nous organiserons.

— Il est déjà au courant, annonça Bousara tout en nouant son écharpe autour de son cou.

— Mon mari... vous l'avez appelé ?

— Évidemment madame, vous ne répondiez pas ! Vous m'avez assez répété de vous prévenir assez tôt lorsque j'ai besoin de m'absenter.

— Bien sûr, bien sûr... et... que vous a-t-il dit ?

— Rien de spécial : « Je le note. »

— C'est tout ? s'enquit Camille.

— Oui madame... ah si, qu'il n'était pas étonné que vous ne répondiez pas ! Il faut que j'y aille maintenant, bonsoir tout le monde, cria-t-elle tout en refermant la porte d'entrée.

— Bonsoir, Bousara.

Camille regarda la liste de ses appels de la journée ; aucun ne provenait du fixe du cabinet, ni du portable de son mari.

Elle s'allongea quelques minutes sur le canapé. Le claquement caractéristique du portail que Richard venait de refermer se fit entendre.

— Bonsoir, tu as passé une bonne journée ? interrogea-t-elle, crispée.

— Crevé ! Des tas de dossiers, tu me sers un whisky, s'il te plaît ?

— Si tu veux.

Camille se dirigea vers le bar ; elle avait peur : si Richard commençait à boire, elle savait qu'il deviendrait entreprenant. Elle ne se sentait pas capable d'assouvir les envies de son mari, surtout pas ce soir.

— Tu es sûr ? Nous n'avons pas encore mangé.

Richard se retourna, l'air dubitatif :

— Et alors ?

— Tu as raison, excuse-moi.

Camille remplit le verre de glaçons et fit couler la plus faible quantité de whisky possible.

— Et toi, ta journée, qu'as-tu fait ?

— Je… me suis baladée… j'ai pris l'air.

— Seule ? Avec une de tes copines ?

— J'avais… besoin d'être seule ! improvisa-t-elle.

— Tu m'aurais dit le contraire, je ne t'aurais pas crue ! annonça Richard tout en avalant son verre d'un trait.

— Pourquoi…

Il ne laissa pas finir sa femme.

– Amélie est passée te voir au bureau, te faire un coucou, m'a-t-elle dit.

– Ah…

Elle ne reconnaissait pas son mari qui, pour la première fois, semblait s'intéresser à son emploi du temps.

Richard se servit à nouveau et s'approcha de sa femme ; elle pouvait sentir son haleine lourde et vaporeuse.

– Je voulais m'excuser, dit-il tout en buvant son verre à petites gorgées rapprochées.

– T'excuser, mais de quoi ?

– Mes parents, ils n'ont pas été corrects avec Mathilde.

Camille sentit un frisson de soulagement.

– Ce n'est pas grave, j'ai réagi trop violemment.

Il s'approcha de sa femme qui disposait les couverts sur le comptoir de la cuisine. Il posa sa main sur sa taille tout en continuant de boire.

Elle se décolla rapidement et se dirigea vers le réfrigérateur.

– Tu veux du jambon ou le reste de gratin que Bousara vient de préparer pour les enfants ?

– Ce que tu veux, je m'en moque !

Il se rapprocha de nouveau, la saisit plus fermement et l'embrassa dans le cou. Elle n'osa pas le repousser une nouvelle fois, se raidit et le laissa faire.

– Et ce parfum, mais quelle horreur ! s'exclamat-il tout en s'essuyant les lèvres. Fais donc réchauffer le gratin et attrape la bouteille de chablis.

Camille posa les deux assiettes de gratin sur la table. Quand elle s'approcha de Richard, il saisit fermement sa cuisse avec sa main.

« *Non, pas ce soir, je ne peux pas* », se dit Camille, pétrifiée d'angoisse.

— Sers-moi donc du vin ; toi aussi, Camille, remplis ton verre, trinquons à la réussite de notre cabinet, proposa-t-il, déjà sous l'effet visible de ses deux verres de whisky.

Camille sentit que son salut passait par l'absorption d'un ou deux verres de vin blanc. Fatiguée, elle n'avait aucune envie de trinquer à quoi que ce soit. Elle se força ; elle savait que si Richard buvait un peu trop, il s'effondrerait sur le canapé et ronflerait rapidement.

Elle s'exécuta et but doucement son verre de chablis, tout en remplissant régulièrement celui de son mari. Elle parla, elle n'arrêta pas de parler pour occuper l'esprit de Richard qui ne se rendit compte de rien et avala avec plaisir les deux assiettes de gratin et, dans un repoussant hoquet, le dernier verre de vin blanc.

Tandis que Camille débarrassait la table, Richard se leva et, comme elle l'avait espéré, partit en direction du canapé. Il alluma la télé, zappa quelques instants avant de s'abrutir devant un match de foot du championnat anglais de Premier League.

— C'est sûr, ça c'est du foot au moins ! Ce n'est pas notre championnat de France, râla-t-il tout en commençant à glisser vers la position couchée.

Camille le regardait avec attention ; elle n'espérait qu'une chose, qu'il s'endorme enfin. Elle s'assit à son bureau pour répondre à ses e-mails de la journée.

À peine la première mi-temps se terminait-elle que des ronflements sourds se firent entendre. Elle prit soin de ne faire aucun bruit, baissa le volume du téléviseur avant de monter se coucher. Avec la quantité d'alcool ingurgitée, Richard ne monta se coucher que vers 2 heures du matin. Il se glissa lourdement dans le lit ; Camille se réveilla et fit semblant de dormir. Les ronflements reprirent, elle échappa à une relation nauséabonde.

Toute la matinée, elle ne pensa qu'à une chose : retrouver Stephen. Elle eut du mal à se concentrer durant ses rendez-vous et fit répéter ses clients à plusieurs reprises ; dès que la discussion s'éternisait, son esprit s'évadait au fond d'une ruelle du quartier du Marais.

Ce matin, elle avait fait plus attention que d'habitude à son apparence, se posant mille questions : « *Aime-t-il le rouge ou le noir ? Cette jupe n'est-elle pas trop courte ? Et ces talons, trop hauts peut-être ? Pense-t-il que cela fait vulgaire ?* »

Son choix se porta sur des dessous de couleur crème, fins, sans couture, ne laissant apparaître aucune trace disgracieuse sous les vêtements, une jupe près du corps rose orangé aux rebords à dentelle tombant juste au-dessus du genou, un chemisier gris ample où elle fit deux revers à chaque manche, laissant apparaître ses bracelets, une paire de Dim Up légèrement opaque. Des escarpins gris ornés d'une lanière complétèrent la toilette.

Son dernier entretien terminé, elle ne tarda pas à rejoindre Stephen qui l'attendait devant l'entrée de *Des mots et des maux*. Elle marcha doucement sur les pavés de l'impasse et prit le temps de le regarder longuement. Accoudé à un des montants de sa devanture, les deux mains dans les poches de son jean élimé, il souriait. Camille s'approcha et remarqua sa barbe mal rasée, un peu blanchie par endroits ; elle posa sa main sur sa joue, remonta vers son front et caressa son épaisse chevelure.

Ils n'avaient pas encore dit le moindre mot, se fixant du regard. Le sourire de Stephen contrastait avec le visage attentif de Camille ; elle paraissait absorbée. Il dénoua la ceinture de son manteau, y glissa sa main, caressa sa taille puis ses reins ; elle se colla contre lui et l'invita à plus d'ardeur. Camille remonta sa cuisse contre la jambe de Stephen, seul le glissement des bas sur la toile en jean se faisait entendre. Elle recommença le même geste de plus en plus lentement, tout en appuyant de plus en plus fort contre la jambe de son amant. Elle avait une ardente envie de lui, de la chaleur de ses mains, de la douceur de ses caresses.

Stephen, surpris devant tant d'audace, tarda à réagir, mais ne put s'empêcher de saisir la cuisse de Camille qu'il plaqua contre sa taille. Sa main remonta insensiblement jusqu'à la jarretière de velours noir, et elle eut un gémissement contenu, presque inaudible. Sans s'en rendre compte, elle se serrait de plus en plus fort contre le corps de Stephen, prenant appui avec son escarpin contre le rebord de la devanture. Elle dégagea la chemise du jean, ses doigts glissèrent jusqu'à son torse, elle griffa sa peau et descendit le long de son ventre, remonta et recommença le même geste. Les muscles de Stephen se tendirent dans un mélange de plaisir et de douleur.

S'approchant de son cou, elle prit son lobe entre ses dents et le mordilla tout en chuchotant :

— Fais-moi l'amour !

Il ouvrit la porte de la boutique, entraînant Camille dans un même mouvement, puis tira le rideau et ferma la porte pendant qu'elle enlevait son manteau. Alan, son associé, tenait le stand sur le quai des bouquinistes jusqu'à 17 heures ; ils ne seraient pas dérangés.

Ils ne prirent pas le temps de monter à l'étage, sur le vieux canapé de cuir. Stephen, tout en embrassant Camille, jeta à terre les livres posés sur la grande table située au milieu de la boutique. Il la saisit par les cuisses et la souleva avant de l'allonger ; il s'arrêta un instant et la regarda tout en caressant l'arrière de ses mollets. Camille ne bougeait plus et se laissait faire ; elle ferma les yeux. Par à-coups, elle remuait la tête, enivrée d'envie et de plaisir. Stephen fit sauter les boutons de son chemisier, dégagea ses seins du soutien-gorge sans le dégrafer et laissa sa bouche chaude et humide s'attarder sur sa poitrine. Il enleva la jupe de Camille et tira violemment sur la ceinture de son jean.

Stephen resta debout, attrapa les chevilles de Camille ; il pouvait sentir la douceur des bas et la lanière des escarpins sous ses doigts. Ils firent l'amour. Camille se cambrait trop vite, trop fort, elle ne pouvait retenir sa fougue. Il s'arrêta à plusieurs reprises mais ne put se contenir, et son corps se cabra dans un long gémissement de plaisir. Camille l'agrippa, elle voulait le garder en elle, Stephen posa sa tempe contre sa poitrine. La respiration de Camille se calma doucement ; il s'allongea à côté d'elle, blotti contre sa peau.

Les semaines s'écoulèrent ; les moments qu'ils passaient ensemble devinrent de plus en plus fréquents. À chaque rendez-vous, l'envie de se revoir se faisait plus intense.

Ils s'aimaient mais n'osaient pas se le dire, chacun restant sur une réserve pudique comme s'il voulait protéger l'autre, au détriment de ses propres sentiments.

Camille découvrait les délices de la passion avec cet homme qu'elle croyait avoir oublié, alors qu'un simple message avait réveillé en elle tant de souvenirs et de sentiments inexprimés.

Stephen, malgré le temps et les épreuves de la vie, avait toujours gardé en mémoire cette adolescente à la fois timide et effrontée qu'il avait connue à seize ans. Il n'avait jamais osé la recontacter de peur d'affronter l'évidence de l'oubli, et avait préféré rester avec cet espoir insensé que l'occasion de la revoir se présenterait. Au fond de lui, il savait que ce n'était, sans doute, qu'une illusion, mais il avait besoin de poursuivre sa route ; peut-être qu'un jour, le mirage se révélerait être la réalité.

Mais le hasard peut parfois bouleverser une vie.

– 15 –

Sur le chemin du hasard

Il existe des journées où, sans qu'on sache pourquoi, des tas de petits moments nous rendent heureux : un rayon de soleil qui réchauffe notre visage, les bruits qui accompagnent le lever du jour et que l'on écoute, blotti au fond du lit, encore dans un demi-sommeil.

Ou bien quand on croise « sa » silhouette sur le chemin du hasard, avec l'envie de se retourner et d'espérer qu'elle fasse de même.

Un an plus tôt...

Un jeudi du mois de mai, alors que les vagues de touristes de la matinée désertaient les quais de Seine, Stephen laissa Alan tenir seul le stand et se rendit dans la brasserie où il prenait régulièrement ses repas. Le soleil radieux l'incita à s'installer en terrasse avec son compère Erwan, bouquiniste spécialisé dans les vieilles bandes dessinées.

— Une pression, ça te dit ?

— Pas de souci, commande deux cinquante, il nous faut bien ça pour nous remettre, confirma Erwan tout en se dirigeant à l'intérieur pour acheter un paquet de tabac à rouler. Un téléviseur grand écran, situé au-dessus du bar, alternait les résultats des courses hippiques et les principales informations.

C'était l'heure de pointe et l'attente au comptoir se faisait de plus en plus longue, malgré les gestes rapides et assurés du patron. Le regard d'Erwan s'arrêta sur le défilé des flashs répétitifs de BFM. L'image d'un homme politique apparut à l'écran, au côté d'une avocate répondant avec aisance aux questions piégeuses et provocatrices des journalistes.

Erwan secoua la tête de dépit, pensant qu'une fois de plus, l'habileté d'une avocate venait de sauver de l'inéligibilité un homme à la carrière plus que compromise quelques mois auparavant.

— Encore un qui va jurer qu'il n'a jamais profité des largesses de la République, s'indigna-t-il une fois revenu aux côtés de Stephen.

— Pourquoi dis-tu cela ?

— Rien, les infos qui défilent. Les avocats et le fric sauveront toujours les politiques, alors que nous, pauvres couillons, une amende impayée et direct en taule !

— Tu ne crois pas que tu exagères un peu ? s'amusa Stephen tout en dégustant son demi bien frais à l'ombre des platanes de la terrasse.

— Tu as raison, peut-être pas en taule, mais l'amende et les intérêts, ce serait pour notre pomme !

— Arrête-toi un peu ! Tu ne vas pas refaire le monde, bois donc ta bière au lieu de t'intoxiquer avec ton tabac à rouler.

Les deux amis burent tranquillement leur verre tout en discutant des clients de plus en plus difficiles, qui négociaient les prix quasiment à chaque vente.

— Remarque, c'est normal avec tes *Astérix* à cinquante euros !

— Ce sont des éditions limitées, les premiers tirages n'ont que quelques centaines d'exemplaires, se justifia Erwan, les yeux rivés vers l'écran qui distillait en boucle les mêmes sujets depuis près d'une heure.

— Tu t'intéresses aux courses, maintenant ?

— Non, non… jolie, l'avocate !

— Qui ?

— L'avocate du politique.

— Tu regardes les femmes, c'est nouveau ! Je pensais que le jeune serveur serait plus à ton goût, plaisanta Stephen tout en piquant, avec sa fourchette, les dernières frites disposées autour de son entrecôte.

— Si ce n'était pas toi, tu te retrouverais avec mon assiette sur la figure ! rétorqua Erwan d'un ton amusé, mais ferme.

— Allez, je rigole ! Et arrête de mater cet écran.

— Vraiment canon ! conclut-il.

— Quelle est donc cette étrange créature qui remet en question trente ans d'adoration pour la gent masculine ? fit Stephen tout en se retournant en direction de l'écran.

— Tu es vraiment con quand tu t'y mets ! se désola Erwan.

— Belle brune ! Tu as… le regard de Stephen se focalisa sur le bandeau déroulant en bas de l'écran, où il était inscrit : « Camille Loubin, avocate de… »

Stephen resta figé, le regard hébété, sans prononcer la moindre parole.

— Tu devrais au moins fermer la bouche, c'est pour les mouches. Je ne savais pas que la justice te faisait un tel effet ? s'exclama Erwan dans un grand éclat de rire.

— Quoi ?

— Allô, tu es avec moi ?

— Je la connais, fit-il sans quitter l'écran des yeux.

— C'est cool ça ! J'ai quelques excès de vitesse en cours. Si je vais en prison, tu me donneras ses coordonnées.

— Arrête de plaisanter, donne-moi l'addition… je vais régler, dit Stephen avant de se diriger vers le comptoir de la brasserie.

BFM diffusa une nouvelle fois le reportage. Stephen s'adossa à une des colonnes du bar, regardant avec attention Camille réciter son discours finement construit pour assouvir l'appétit des journalistes.

Il reconnut son intonation de voix. Malgré les années, elle avait gardé sur ses fins de phrase cet accent chantant du Sud-Ouest qui l'amusait tant lorsqu'elle s'énervait et que son débit de paroles s'accélérait. Ses traits tirés trahissaient une plaidoirie difficile. Sa robe d'avocate lui donnait un air sérieux, presque grave. Stephen sourit ; il se souvenait qu'elle ne portait jamais de noir ; elle détestait cette couleur.

Son regard n'avait pas changé ; ses yeux verts illuminaient toujours son visage, ses cheveux étaient plus longs et tombaient sur ses épaules. Avant de répondre de manière cinglante à un journaliste qui cherchait à la déstabiliser, elle eut un rictus de contentement qui dessina quelques rides d'expression au coin de ses paupières. Stephen passa machinalement sa main dans ses cheveux et se regarda dans le miroir situé derrière le comptoir. Il pensa à toutes ces années écoulées.

— On y va, oui ! C'est l'heure, s'agaça Erwan qui souhaitait rouvrir son stand.

— J'arrive, pars devant si tu veux, je te rejoins ! lui lança Stephen qui regardait les dernières images du reportage.

Il s'approcha de l'écran ; le journaliste conclut qu'une dernière audience, purement formelle, devait avoir lieu le lendemain matin.

— Alors tu viens, au lieu de baver devant cet écran ?

— Vas-y ! insista Stephen.

— O.K., pas de souci, à tout de suite.

Il commanda un expresso et s'accouda au comptoir. Le palais de justice n'était séparé du quai où étaient installées ses « boîtes vertes » que par le pont Notre-Dame qui enjambait l'île de la Cité. Dans quelques heures, Camille ne serait qu'à une centaine de mètres, c'était l'occasion de la revoir.

La vie est parfois surprenante. De longues années séparent deux êtres et, par hasard, au beau milieu du brouhaha d'une brasserie, le visage de celle que l'on n'espérait plus revoir réapparaît sur l'écran d'un téléviseur, dans un lieu que l'on aperçoit juste en tournant la tête.

Stephen passa l'après-midi, la soirée et une grande partie de la nuit à se poser la même question :

« *Dois-je aller à sa rencontre demain matin ?* »

L'envie de revoir Camille était évidente, mais qu'allait-il lui dire ? Allait-il la déranger ? Accepterait-elle de lui parler ? Se souviendrait-elle de lui ? Les journalistes seraient sans aucun doute encore présents. Il préféra renoncer et passa sa matinée adossé aux balustres de pierre du pont Notre-Dame, à scruter l'entrée du Palais de justice, espérant apercevoir la silhouette de Camille.

Vers 11 heures du matin, il abandonna, préférant rechercher l'adresse du cabinet d'avocats où elle exerçait son activité.

Il saisit sur son téléphone « Camille Loubin avocate », et le résultat de sa recherche apparut immédiatement sous ses yeux :

Cabinet Mabrec-Loubin – Avocats associés – Rue de Médicis – 75006 Paris.

Stephen eut un rictus à la vue du plan s'affichant sur son écran. La rue de Médicis se situait dans le quartier de l'Odéon, bordant le jardin du Luxembourg. Depuis des années, seulement un kilomètre et demi séparait le quai des bouquinistes de l'endroit où Camille passait la plupart de ses journées. Et il fallait à peine un kilomètre de plus pour se rendre à *Des mots et des maux,* dans le quartier du Marais.

Troublé par de si étranges coïncidences, Stephen hésitait, ne sachant quoi penser de cette simultanéité d'événements.

Il décida de se laisser quelques jours de réflexion ; rien ne lui interdisait de reprendre contact avec une ancienne amie de lycée. Mais si Camille ne souhaitait pas le revoir ?

La semaine qui suivit, il se rendit à deux reprises dans le jardin du Luxembourg. Il s'installait à chaque fois le long de l'allée proche de la fontaine Médicis. De cet endroit, il pouvait apercevoir l'imposante porte de bois où était apposée la plaque de laiton gravée : « Mabrec-Loubin, avocats associés ».

Il arrivait vers dix-sept heures et s'installait sur une des chaises de fer forgé disposées au hasard des allées.

En cette saison, le jardin fermait ses portes à 21 heures. La première fois, il attendit deux heures avant de voir sortir un homme et une jeune lycéenne, le sac à dos en bandoulière. Dès qu'il l'aperçut, il sut qu'il s'agissait de la fille de Camille ; son allure, sa façon de bouger étaient identiques à celles de sa mère au même âge. Il se dit que l'homme devait être son père, le mari de Camille. Il le trouva strict et sérieux dans son costume gris ; son visage inexpressif contrastait avec le sourire radieux de la jeune fille.

Stephen n'attendit pas plus longtemps ; il préféra rentrer et errer dans les bars du Marais une bonne partie de la nuit. Erwan l'accompagna dans sa tournée.

— Tu ne me demandes rien, si je ne peux pas rentrer chez moi tout seul tu m'accompagnes, j'ai besoin de me vider la tête, lui expliqua Stephen.

— Que t'arrive-t-il ? D'habitude tu te plonges dans un de tes bouquins venus d'un autre temps quand tu as besoin de faire le vide.

— Je sais, ne pose aucune question, j'ai besoin de quelque chose de plus fort ce soir, vraiment plus fort ! insista-t-il.

— O.K., aucune question, j'ai compris !

— Tu n'avais pas un rendez-vous avec une « belle de nuit » au moins, je ne voudrais pas que le pauvre petit serveur soit tristounet ce soir ! plaisanta Stephen tout en attrapant Erwan par la taille.

— Heureusement que c'est toi et que tu n'as pas l'air en grande forme ! Qu'est-ce que tu es con, mon pauvre, quand tu t'y mets ! Je te demande, moi, si la justice a besoin de se noyer dans les vapeurs d'alcool ?

— Non, tu ne demandes rien ! Allons-y. C'est parti, entrons aux Deux Amants des berges. Putain, qu'est-ce que c'est nul ce nom !

— Mais non ! Allez hop, rentre là-dedans, fit Erwan tout en poussant son ami dans la petite salle où les amours faciles et rapides prenaient fin aussi vite qu'elles venaient de se créer au rythme des bouteilles de tequila, des fûts de bière, des maquillages collants et des déhanchés chaloupés. Erwan accompagna son ami jusqu'au bout de la nuit.

Le jour pointait à l'horizon lorsque, épuisé, Erwan allongea Stephen dans son lit. Il resta dans le canapé, trop fatigué pour rentrer chez lui.

Stephen dormit jusqu'à midi et n'ouvrit les portes de sa boutique que vers 14 heures. Erwan était déjà parti depuis le milieu de la matinée.

La veille au soir, il pensait ne jamais revenir dans les allées du jardin du Luxembourg ; la vision de Vanessa accompagnée de Richard l'avait profondément marqué. Il découvrait que l'adolescente qu'il avait connue au lycée Grand Air d'Arcachon n'était qu'un lointain souvenir. Avocate reconnue, épouse et mère, Camille lui paraissait si loin… et sans doute impossible à approcher.

Mais l'envie de la revoir tournoyait inlassablement dans son esprit ; il décida de fermer *Des mots et des maux* plus tôt que d'habitude, retourna au même endroit que la veille et attendit.

Stephen vit apparaître la silhouette d'une femme, qui s'arrêta devant la porte du cabinet et pianota sur son Smartphone…

La lourde porte de bois s'ouvrit lentement. Camille apparut, tendant les bras à l'amie qui venait manifestement de l'appeler. Elle était vêtue d'un pantalon large de couleur bleue orné de petits pois blancs, d'un polo blanc aux manches retroussées et de bottines beiges à hauts talons. L'image que Stephen avait devant les yeux contrastait avec celle de l'avocate impassible et retenue qu'il avait découverte, quelques jours auparavant, sur l'écran de la brasserie.

Il pouvait entendre le son de sa voix, son rire lorsque son amie, à coups de grands gestes désordonnés, mimait une scène cocasse.

Stephen fixait Camille, analysant chacun de ses mouvements. Il la trouvait particulièrement belle, et il resta immobile le temps que dura la conversation. Les deux amies discutèrent un long moment avant de se séparer. Sabine s'éloigna en direction de l'Odéon tandis que Camille s'attardait devant la porte de l'immeuble, prenant le temps de fumer une cigarette. Adossée au mur de pierre, un genou replié, elle faisait face à Stephen, tapotant régulièrement sur sa cigarette pour en faire tomber la cendre.

Il n'était qu'à une vingtaine de mètres d'elle ; il aurait aimé crier son prénom, se diriger vers elle, la prendre dans ses bras, mais il n'en fit rien, préférant rester caché derrière les grilles du jardin. Camille s'avança sur le trottoir et écrasa sa cigarette dans le cendrier situé devant l'immeuble voisin. Elle marchait lentement, son pantalon flottait à chacun de ses pas, laissant découvrir et disparaître la forme de ses jambes. Elle fit un signe de la main en direction du kiosque à journaux situé en bordure de la place Edmond-Rostand, puis disparut derrière la porte d'entrée qui se referma doucement. Stephen put apercevoir sa silhouette encore quelques secondes avant que le bruit caractéristique du verrouillage ne se fasse entendre.

Trois mois passèrent avant que Stephen ne se décide à la contacter.

Il y pensait, y repensait, ne sachant que faire. Plusieurs fois il s'était fait une raison, persuadé qu'il était préférable de ne pas chercher à la revoir ; Camille avait sa vie, lui la sienne. Les souvenirs se révèlent être de très mauvais conseillers, se disait-il. Quelques heures passaient et son avis devenait tout autre, jusqu'à la prochaine période d'hésitation et de questionnement.

Stephen se le cachait, mais ce qu'il redoutait par-dessus tout, ce n'était pas de prendre son téléphone et d'appeler Camille ; il était terrorisé à l'idée qu'elle ne veuille pas lui parler ou pire, qu'elle ne se souvienne pas de lui.

Puis, il y eut ce matin du début du mois d'août où, réveillé bien trop tôt, vers 4 heures, il ne put effacer de son esprit la silhouette de Camille marchant sur le trottoir face au jardin du Luxembourg.

Cette image devenait lancinante, obsédante, l'accaparant même lorsqu'il travaillait, ne le laissant tranquille que peu de temps, quand les clients l'obligeaient à des négociations nécessitant toute son attention, autant dire, presque jamais.

Stephen décida de prendre le risque de plonger vers l'inconnu. Il repensa, une énième fois, à cette phrase qui agaçait tant Camille et qu'il lui répétait si souvent, comme pour s'excuser de lui proposer la lecture d'un nouveau livre : « Seulement si tu en as envie. »

Cela le fit sourire et lui donna le courage de prendre son téléphone et de composer à deux reprises le numéro du cabinet « Mabrec-Loubin, avocats associés ».

– 16 –

Le dernier rendez-vous

Griffonné sur un papier, tapé sur un clavier ou chuchoté au creux de l'oreille, le dernier rendez-vous est toujours le plus intense.

À cet instant, personne ne triche, ni celui qui sait, ni celui qui part vers l'inconnu de l'absence. Des chemins de vie qui se séparent, des espoirs et des attentes qui s'éteignent.

Les passions ne se vivent pas, elles se glissent simplement dans la douleur d'un dernier rendez-vous.

Combien de temps pour oublier son visage, son parfum, le son de sa voix ? Des années sans doute, se dit-elle.

Crispée, Camille sourit tout en tirant sur sa cigarette.

D'ailleurs, pourquoi oublier ? L'oubli, c'est la porte ouverte vers le néant, le « plus rien »…

Stephen venait de quitter son appartement situé au-dessus de sa librairie londonienne : *Just a few words*.

– À plus ! avait-il lancé, comme une certitude.

« À plus »… oui, à plus, mon amour, plus de ta chaleur, plus de ton corps, plus de toi… Elle écrasa sa cigarette et jeta un dernier regard vers les lumières du Tower Bridge ; dans trois heures, elle serait à Paris.

Camille et Stephen vivaient leur aventure depuis près de six mois. Ils ne se voyaient plus uniquement à Paris, mais aussi à Londres, dans l'appartement de Stephen. Camille gérait les intérêts d'un groupe pétrolier dont le siège était situé dans la capitale britannique. Elle prétextait des réunions marathons et la fatigue pour rester une nuit avec son amant et ne repartir que le lendemain, tôt dans la matinée.

Ce jour fut pour Camille un déchirement. Stephen ne le savait pas encore, mais elle allait le quitter ; elle venait de prendre sa décision au petit matin.

En six mois, il lui avait offert plus d'amour que ce qu'elle avait pu vivre jusqu'à leur rencontre ; elle l'aimait profondément, mais elle devait partir.

Cette nuit, elle lui avait donné, une fois de plus, tout l'amour qu'elle possédait. Pour la première fois, elle lui avait demandé d'éteindre la lumière, car elle pleurait, elle l'aimait et elle pleurait. Stephen ne remarqua pas ses larmes, ou il fit semblant de ne pas les voir.

La veille, au restaurant bordant la Tamise, face au London Eye, il venait encore de lui déclarer tout cet attachement qu'il éprouvait depuis les bancs du lycée.

Camille le savait, l'intensité de cet amour la ravissait, mais elle ne se projetait que d'une semaine sur l'autre, elle ne s'autorisait qu'un avenir fait de petites semaines et de prochains rendez-vous.

Lorsque le dessert fut servi, Stephen saisit sa main posée sur la table et la serra aussi fort qu'il put.

— Camille ! dit-il, le visage inhabituellement solennel.

Elle remarqua son émoi et l'encouragea à poursuivre.

— Je t'écoute, fit-elle d'un ton inquiet.

Stephen baissa les yeux et, tout en bafouillant, s'exprima avec une totale sincérité :

— Camille, je t'aime, ça, tu le sais !

— Oui, moi auss…

Il l'interrompit.

— Je ne t'ai jamais rien demandé, mais ce soir, s'il te plaît, ne me coupe pas, écoute-moi jusqu'au bout. Si je m'arrête, je ne pourrai pas reprendre.

Camille fixait Stephen ; son sourire à la Simon Baker, qui d'habitude ne le quittait jamais, avait disparu. Les lumières du London Eye se reflétaient dans la baie vitrée du restaurant. Les mouvements lents de l'immense roue donnaient à la scène une ambiance hors du temps.

Camille avait deviné que Stephen lui demanderait de vivre leur amour différemment, de façon plus conventionnelle. Elle savait aussi qu'elle n'exprimerait pas son refus directement, incapable de faire du mal à cet homme qui l'avait rendue à l'existence, au bonheur que tout être a le droit de vivre : six mois d'un pur délice !

Stephen commença son long monologue.

— Camille, tu peux ne pas me croire, tu en as le droit, cette histoire est une pure folie. Sache que je n'ai jamais cessé de t'aimer depuis le jour où, sur les bancs du lycée, j'ai osé saisir ta main. Combien de fois suis-je revenu sur notre dune, à contempler l'océan ? Combien de fois ai-je imaginé que tu étais là, juste derrière moi, que tu allais saisir ma taille et te coller contre mon dos, avec pour seul témoin le soleil se cachant peu à peu derrière la pointe du Cap Ferret ? Combien de fois, mon amour ? Je ne le sais pas ! Camille, les mots sont trop fades, trop creux pour exprimer ce que je ressens pour toi ; aimer, cela a un sens, adorer aussi, mais tout cela nous dépasse.

» J'ai vécu ma vie à t'attendre, non, Camille, je ne suis pas fou, je ne suis pas saoul, tu es la partie de moi-même qu'il me manquait, tu es le soleil qui se lève sur ma dune chaque matin. Chaque fois que j'entends ta voix, mon corps frissonne de plaisir, chaque fois que nous faisons l'amour, mon esprit s'évade dans un monde dont je n'aurais jamais pu imaginer l'existence. Tu es mon double, la raison de mes demain, l'espoir étouffé depuis tant d'années.

Stephen baissait de plus en plus la tête. Camille tenait fermement sa main ; les lumières scintillaient plus intensément dans ses yeux, trahissant des larmes retenues.

Elle l'écoutait attentivement ; chacun de ses mots résonnait en elle comme un écho de douceur et de tendresse. Elle aurait souhaité que ce moment ne s'arrête jamais. Stephen lui déclarait un amour qui dépassait toutes les conventions rationnelles, mais ce qu'elle redoutait arriva.

Il n'osa pas lui demander directement de tout quitter pour lui, il l'exprima avec délicatesse et élégance, comme à son habitude.

— Camille, si nous passions encore plus de temps ensemble, qu'en penses-tu ?

Elle le regarda avec une infinie bonté, et une larme roula sur sa joue.

— Stephen, je sais que tu n'es pas fou et que tu es sincère. Je ne pourrais pas te faire une si belle déclaration, je ne saurais pas trouver les mots… toi, tu sais… d'ailleurs, tu as toujours su. Je ne peux rien te dire Stephen, rien te promettre, continuons à nous aimer, l'avenir décidera pour nous. Laissons-nous porter par cette vague qui n'en finit pas de s'étaler dans l'écume de notre amour.

Camille ne dit plus rien ; leurs regards se noyaient l'un dans l'autre, les lumières du London Eye s'éteignaient peu à peu.

Pour la première fois, elle mentait à Stephen. Elle ne voulait pas que cette dernière soirée soit celle des amours qui se déchirent, d'ailleurs, elle ne l'aurait pas supporté.

Elle se doutait que leur histoire finirait de cette façon. L'attente de Stephen était légitime, elle était prête à tout accepter de lui, mais pas à se perdre dans une séparation qui l'éloignerait de ses enfants. Vanessa et Lucas représentaient ses plus belles réussites et elle ne les partagerait pour rien au monde, même pour l'amour d'un homme, si puissant soit-il !

Le dernier rendez-vous est le plus intense, mais aussi le plus difficile. Camille savait que demain, Stephen ne la serrerait plus dans ses bras, qu'elle en serait la seule responsable et qu'elle le regretterait toute sa vie.

Le taxi attendait devant la porte lorsqu'elle descendit de l'appartement ; elle croisa Stephen qui venait d'ouvrir *Just a few words.*

— Tu n'as pas l'air en forme ? demanda-t-il, l'air soucieux.

Elle n'avait pas la force de lui annoncer sa décision en face, elle décida qu'elle lui parlerait plus tard.

Il insista :

— Tu es sûre que ça va ?

— Oui, à bientôt… mon amour !

— Waouh ! Que me vaut le « mon amour » ? s'étonna-t-il.

Camilla caressa la joue de Stephen et passa sa main dans ses cheveux.

— Rien… j'avais… envie.

Le taxi garé en double file s'impatientait en tapotant sur son klaxon.

— Je dois y aller, dit-elle, puis elle l'embrassa.

— À plus, et réfléchis à ce que je t'ai dit hier soir, rien ne presse, prends ton temps.

Camille lui adressa un dernier signe de la main. Le taxi démarra en direction de la gare de Saint-Pancras où elle prit l'Eurostar à destination de Paris.

Les jours qui suivirent furent inhabituellement calmes. Stephen resta une semaine à Londres ; la saison battait son plein et il devait installer de nouvelles étagères afin de référencer une collection de livres écossais qu'il venait de recevoir.

Ils échangèrent de nombreux messages et s'appelèrent régulièrement, mais Stephen sentit très vite que le comportement de Camille changeait. Elle qui d'habitude s'étonnait de tout, bouillonnait de bonne humeur, paraissait tout à coup lointaine et triste.

Stephen ne le lui fit pas remarquer, pensant que sa proposition l'avait chamboulée ; il ne souhaitait pas lui en reparler de peur de la brusquer et de l'obliger à faire un choix qui nécessitait du temps.

Il était évident que leur relation ne pouvait se terminer de la sorte, il n'y pensait même pas. Pour lui, Camille était en pleine période de réflexion ; dès son retour, tout s'arrangerait, pensait-il.

Ce soir, Stephen rentrait de Londres. Camille avait prévu de se rendre à la gare pour lui annoncer sa décision. Elle partit du cabinet vers 16 heures, n'arrivant plus à se concentrer ; elle avait besoin de se retrouver seule.

Elle marcha longuement avant de s'asseoir à la terrasse d'un café en bordure des jardins du Trocadéro. Elle commanda un thé et son esprit se mit à divaguer.

Cela faisait plus d'une heure qu'elle regardait, les yeux dans le vague, les trois cent vingt-quatre mètres de la tour Eiffel. Son fils l'attendait devant le portail de son école, et elle s'en moquait !

Elle pensait à Stephen ; elle voulait l'oublier, ne plus l'imaginer, le chasser de ses pensées, le faire fuir de ses espoirs, l'effacer de ses demain... mais, au fond d'elle, elle n'avait pas envie de tout ça :

« *Viens ! Suis-moi ! Prends ma main. Je t'entraînerai ailleurs : au bord de la mer, sur la route des cimes, dans les champs de boutons-d'or. Je te volerai une nuit, un jour, une heure...* », songea-t-elle.

— Madame, vous ne buvez pas votre thé ? Le serveur venait de la faire renaître à « sa » vie. Un SMS vite rédigé :

> J'arrive mon chéri, nc t'in-
> quiète pas. Maman

Elle attrapa son sac, courut jusqu'à la place en zigzaguant entre les voitures, avant de s'engouffrer dans le métro ligne 9.

La pendule de la gare du Nord indiquait 23 h 12 ; le train en provenance de Londres s'immobilisa sur le quai n° 4. Camille n'avait rien dit à Stephen, mais elle était là, après avoir prétexté un repas avec Sabine et Amélie afin de se libérer pour la soirée. Elle était assise au seul café encore ouvert à cette heure-ci, face à l'escalier d'où les voyageurs descendent de la zone internationale.

À travers l'espace vitré du premier étage, elle reconnut sa silhouette, sac à dos sur l'épaule. Elle le regarda descendre lentement l'escalier ; il leva la tête et l'aperçut, et son visage s'illumina. Il souriait, heureux de rentrer à Paris et de retrouver celle qu'il aimait.

Comment allait-elle lui annoncer que leur histoire se terminait ce soir, dans cette gare, qu'ils ne se verraient plus et que c'était mieux ainsi ? Que l'on ne substituait pas un bonheur à un autre, si intense soit-il ? Comment allait-elle faire ? Elle ne le savait pas encore. Stephen s'approchait et aucun mot ne pouvait sortir de sa bouche, elle en était incapable.

Camille se leva ; son visage fatigué trahissait une profonde tristesse, elle osait à peine le regarder.

Encore à quelques pas, il se réjouit.

— Tu es venue, c'est gentil.

Il voulut la prendre dans ses bras et remarqua son désarroi. Jamais il n'avait vu cette expression dans les yeux de celle qu'il avait toujours aimée. Il laissa tomber son sac au sol ; ils étaient debout, face à face, à quelques pas l'un de l'autre.

Les haut-parleurs de la gare égrenaient d'incompréhensibles consignes de sécurité qui résonnaient dans la tête de Camille ; elle essayait, mais elle ne pouvait prononcer la moindre parole.

Stephen restait muet lui aussi, comme s'il venait de comprendre qu'elle lui échappait, qu'elle redevenait cette femme inaccessible qu'il avait eu si peur de ne plus jamais pouvoir aborder. L'absence et la souffrance, Stephen les connaissait par cœur ; désormais, il allait devoir supporter la certitude que l'espoir de la revoir n'existait plus.

Il sentit ses jambes se dérober et se rattrapa au dossier d'une chaise avant de s'asseoir. Camille n'avait toujours rien dit, ni fait le moindre geste.

Stephen frotta son visage avec ses mains et s'exprima d'une voix nouée.

— Tu as… pris ta décision.

— Oui, dit-elle.

Elle aurait voulu le serrer une dernière fois dans ses bras, sentir son parfum, sa barbe mal rasée contre sa peau, passer sa main dans ses cheveux, mais elle luttait de toutes ses forces ; elle ne devait pas.

— Je suppose que... c'est trop difficile pour toi ?

Elle approuva d'un simple signe de tête.

Il avait envie de hurler sa douleur, de pleurer, de taper dans tout ce qui se trouvait à sa portée, mais il n'en fit rien ; s'il réagissait de la sorte, il savait que la situation serait encore plus difficile pour Camille.

Sa tête entre les mains, les coudes posés sur la table, il se laissa aller.

— Mon Dieu, comme je t'aime, comment vais-je vivre sans toi, sans savoir que dans quelques heures ou quelques jours j'entendrai le son de ta voix, caresserai ta peau. Comment vais-je faire... répéta-t-il.

Stephen ne pouvait pas voir sa réaction, mais la mâchoire de Camille se serrait de plus en plus fort, et des larmes muettes coulèrent le long de ses joues. Elle ne put se retenir, s'approcha et entoura la tête de Stephen de ses deux bras. Il plaqua son visage contre son ventre et enlaça sa taille ; ils ne disaient rien et ils pleuraient, ils pleuraient comme des enfants perdus sur une dune face à l'océan.

Ils le savaient, c'était leur dernière étreinte, l'ultime ressenti de la chaleur de l'autre.

Les quais étaient presque déserts, seuls quelques voyageurs attardés et les habituels sans-abri donnaient encore un semblant de vie à l'immense bâtiment. À l'autre bout de la gare, les balayeuses automatiques entrèrent en action, aspirant et aspergeant tout sur leur passage. Le vacarme des machines se rapprochait et couvrait les sanglots étouffés des deux anciens amants.

Ils restèrent l'un contre l'autre quelques minutes et ne prononcèrent aucune parole. D'ailleurs, qu'auraient-ils pu se dire ? Rien qui puisse atténuer la douleur de Stephen et les remords de Camille.

Leur étreinte se termina enfin ; ils se tinrent la main encore un instant avant de la laisser tomber lourdement. Camille adressa un dernier sourire gêné à Stephen ; il ne lui en voulait pas, il l'aimait trop.

Chacun partit de son côté, vers sa vie, celle d'avant.

Les « boîtes vertes » de *Des mots et des maux* ouvriraient tristement le lendemain, Camille défendrait, avec un peu moins de vigueur, son client au Palais de justice.

Seul le pont Notre-Dame sur l'île de la Cité les séparerait.

– 17 –

Les cœurs anesthésiés

Les cœurs anesthésiés battent plus longtemps que les autres ; réguliers, sans à-coups, ils se font oublier.

Ils ont trop souffert pour se réveiller, ils contrôlent la survie d'un corps que le désir n'anime plus, incapables de se sentir vivants.

Sans espoir, ils évitent les plaisirs et les chagrins, et se noient dans la longue agonie de la routine de l'existence.

— Papa, regarde, c'est celui-là que je veux !

— Ça y est, tu l'as trouvé ! s'exclama Richard avec un soupir de soulagement.

— Yes, trop content !

Lucas venait enfin de mettre la main sur le jeu vidéo qu'il cherchait depuis deux semaines. Les Galeries Lafayette du boulevard Haussmann, bondées en ce premier jour des vacances de Noël, ressemblaient à une ruche où chacun cherchait à dénicher le cadeau original à glisser sous le sapin.

La famille Mabrec, dans un souci d'efficacité, s'était séparée en deux groupes : les hommes, Richard et Lucas, se chargeaient des premiers niveaux du magasin, alors que le club des femmes, Camille et Vanessa, s'appliquait à dévaliser avec délectation les derniers étages.

— Dépêche-toi, mon fils, il nous reste à prendre un pull pour ton grand-père et des chemises pour tes oncles.

— Mouais, fit Lucas, la mine renfrognée.

— Qu'y a-t-il ?

— Une chemise pour tonton Évan ? Il n'en porte jamais, prends-lui un polo, ce sera plus cool.

— Si c'est plus cool, alors, allons-y pour un polo, cautionna Richard.

Le père posa sa main sur l'épaule de son fils et ils disparurent, happés par la foule qui s'agglutinait devant chaque enseigne.

— Maman, il est trop mignon, ce haut ! s'écria Vanessa tout en brandissant un chemisier, les yeux écarquillés d'envie.

— Dis-moi, ma fille, je croyais que tu avais en charge de trouver un parfum pour ta grand-mère. Tu es sûre que tu te trouves dans le bon rayon ? ironisa Camille.

— Je fais juste un tour, j'ai trouvé un parfum, la vendeuse me l'a conseillé pour une femme d'un certain âge. Mais qu'est-ce qu'il cocotte ! se désola Vanessa.

— Fais-moi voir ça ?

Elle tendit le parfum à sa mère, qui porta le flacon à ses narines.

— Effectivement, ça cocotte, c'est parfait ! De toute façon, ça ou autre chose, elle n'appréciera pas plus, donc ce sera ce parfum !

Camille fit signe à sa fille qu'elle pouvait essayer ce fameux petit haut qu'elle traînait avec elle, bien serré dans sa main.

— Merci maman, trop sympa.

Camille sourit, elle n'était pas dupe :

— « Trop sympa », bien sûr… allez, va donc faire un essayage, je t'attends sur les fauteuils.

Vanessa se dirigea vers les cabines et attendit qu'une place se libère après qu'une des employées lui eut communiqué son numéro.

Camille se détendait sur le large canapé laissé à la disposition des clients. Elle déposa ses sacs à côté d'elle.

— Madame, vous souhaitez quelque chose peut-être ? Nous avons du café, de l'eau, du thé et du jus d'orange, lui proposa une jeune étudiante fraîchement embauchée pour la période des vacances.

— C'est très gentil à vous, merci, non, je n'ai besoin de rien.

— Très bien, bonne journée, madame. C'était seulement si vous en aviez envie, lâcha l'étudiante tout en se dirigeant vers une autre cliente.

« Seulement si j'en ai envie » ; ces quelques mots résonnèrent dans l'esprit de Camille, l'expression exacte de Stephen.

Cela faisait plus de trois mois qu'elle n'avait eu aucune nouvelle. Elle pensait toujours à lui, elle ne pouvait le détacher de ses pensées. Il lui arrivait rarement de passer une demi-journée sans que son visage n'apparaisse devant ses yeux.

Quelquefois, elle regardait machinalement son téléphone, comme si elle espérait un message de lui, un mot, simplement un mot : « *Je vais bien, j'espère que toi aussi.* » Camille avait conservé le numéro de Stephen dans son répertoire ; elle tenta de l'effacer à de nombreuses reprises, mais elle ne put s'y résoudre.

Un jour où le cafard se faisait ressentir un peu plus fort que d'habitude, elle modifia l'intitulé ; elle remplaça « *Stephen* » par « *Des mots et des maux* », le lieu privilégié de leur amour.

Elle ne le vit jamais apparaître, c'était mieux ainsi, sans doute, peut-être... !

Camille se ravisa :

– Désolée, mademoiselle, un thé ! Je prendrais bien un thé, si ce n'est pas trop tard.

La jeune fille la regarda avec étonnement :

– Trop tard, pourquoi voulez-vous que ce soit trop tard, madame ? Je vous l'apporte tout de suite.

– Merci, fit-elle.

Tandis qu'elle dégustait son thé, Camille vit débouler sa fille qui se planta devant elle.

— Alors, tu as vu ça un peu !

— Euh, quoi donc ?

— Enfin maman, le haut avec ce bas, c'est trop top !

— Ah d'accord, parce qu'il y a le bas aussi ?

— Alors ? s'impatienta Vanessa.

Camille regarda sa fille ; son corps avait changé, elle devenait une femme.

— C'est…

— C'est quoi ? Maman enfin, dis-moi ! Ça me boudine, c'est ça, tu ne veux pas me le dire, mais ça me boudine, putain, j'en étais sûre ! s'écria-t-elle.

Camille se mit à rire.

— Te boudiner ? Vu ton épaisseur, ça m'étonnerait, mais tu es sûre que c'est la bonne taille ? Tu ne te sens pas un peu… comment dire… serrée ?

— Ah non, pas du tout, pourquoi ?

— Tu peux respirer dans ce jean ?

— C'est la mode, allez, je peux le prendre ? répondit-elle tout en piétinant d'impatience.

— O.K., si c'est la mode alors… tu peux ! Dépêche-toi, nous sommes en retard, ton père et ton frère doivent déjà nous attendre au restaurant.

— Attends, je prends une photo dans la glace, j'envoie ça aux copines tout de suite !

La mère et la fille se dirigèrent vers l'Escalator en direction du troisième étage où les attendaient Richard et Lucas, déjà installés à une table du *Liza*.

— Alors mesdames, vous avez tout trouvé ? les taquina Richard, trop content d'avoir pu dénicher l'ensemble des cadeaux en simplement deux heures trente.

— Yes, tout ! dit Vanessa.

— Parfait, alors prenons le temps de déjeuner tranquillement avant de rentrer, ajouta Richard. Puis, s'adressant à sa femme :

— Tu as l'air fatiguée, ça va ?

— Ta fille m'épuise, elle a fait quelques achats.

— Avec son argent, j'espère !

Camille posa sa main sur le bras de son mari.

— Non, avec le nôtre ! Mais pas d'énervement, s'il te plaît, Noël approche.

— Bien sûr, fit Richard tout en retenant son agacement.

Les fêtes de Noël approchaient et la vie avait repris son cours comme si rien ne s'était passé. D'ailleurs, s'était-il réellement passé quelque chose ? Camille en doutait quelquefois, tellement la monotonie des jours lui laissait croire qu'elle s'était endormie, qu'elle avait fait un merveilleux rêve et qu'elle se réveillait dans le même état que la veille, dans l'attente d'un nouveau songe qui n'arriverait plus.

Camille fit passer sa profonde tristesse pour une dépression due à un excès de travail. Richard n'eut aucun mal à la croire et lui conseilla de lever le pied. Ils décidèrent qu'elle prendrait tous ses mercredis après-midi pour se reposer, faire du sport ou être plus présente auprès de ses enfants.

Elle reprit son traitement qu'elle avait abandonné lorsqu'elle vivait sa passion avec Stephen. Elle pensait que c'était mieux ainsi, et qu'une intoxication chronique à coups de calmants et de somnifères valait mieux qu'un mal de vivre bien trop difficile à porter.

Camille revoyait régulièrement Sabine et Amélie, mais le cœur n'y était plus ; les fous rires laissèrent place aux silences pesants. Ses deux amies devinèrent la raison de sa tristesse ; elles essayèrent de lui en parler mais se heurtèrent, à chacune de leurs tentatives, à un profond mutisme.

Richard avait enfin compris que sa femme avait besoin de soutien, trop tard sans doute. Devenu plus avenant, plus par obligation que par naturel, il essayait, avec beaucoup de maladresse, d'être présent et attentif. Camille s'en rendait compte ; elle connaissait Richard et savait que les efforts qu'il déployait étaient presque surhumains, tant il avait du mal à concevoir les attentes de sa femme.

Leurs relations intimes devinrent plus apaisées, et non plus seulement commandées par l'excès d'alcool et la satisfaction physique rapide. Là aussi, Richard ne se rendait compte de rien, mais Camille s'évadait souvent vers ces deux endroits qu'elle aimait tant : *Des mots et des maux* et *Just a few words*. Elle fermait fréquemment les yeux et sentait venir à ses narines l'odeur d'un parfum, le seul qu'elle pouvait supporter désormais : Vivacités de Bach.

Depuis leur séparation, Stephen passait plus de temps à Londres qu'à Paris ; il avait du mal à supporter l'absence et, en même temps, la proximité de Camille.

Il se donna beaucoup de mal pour aider sa fille afin d'agrandir son atelier et son hall d'exposition ; cela lui occupait l'esprit. Kayla devenait une artiste reconnue et la place manquait pour présenter ses multiples travaux. Elle avait remarqué que son père semblait parfois absent et perdait cette confiance en l'avenir qui, auparavant, lui donnait tant de force. Elle essaya de le questionner à plusieurs reprises, mais les réponses qu'elle obtint étaient toujours très énigmatiques. Ils avaient tous les deux, à leur façon, surmonté une période particulièrement difficile, et les liens qui les unissaient paraissaient indestructibles ; Kayla était très fusionnelle avec son père.

— Plus que deux murs à peindre et c'est terminé !

— « Deux », oui. Mais tu as vu la surface, je n'en peux plus ! s'exclama Stephen tout en mâchonnant son repas, le dos calé contre les cartons des meubles qu'ils venaient de monter les jours précédents.

— Je reconnais qu'il y a de la longueur et... que le plafond est haut, concéda Kayla en s'asseyant à côté de son père. George devrait venir nous aider ce week-end.

— Parfait, il est jeune et plein de ressources. Il prendra le rouleau, et je finirai de t'installer tes dernières étagères.

— Je suppose que tu vas à Paris pour Noël, comme tous les ans ? N'oublie pas, tu m'emmènes avec toi, tu me le promets depuis trois ans.

Stephen ne dit rien ; il finit d'avaler sa barquette de *fish and chips* et but lentement sa canette de Coca. Il réfléchissait.

— Ça va, papa ?

— Oui… tu fais bien d'en parler… cette année, je n'irai pas à Paris pendant les fêtes.

Kayla ne put cacher sa surprise.

— Ah bon, mais tu m'as toujours dit qu'il s'agissait de ta meilleure période de vente pour *Des mots et des maux*.

— Alan se débrouillera très bien, je reste ici ; madame Aldwin est un peu perdue avec ce nouvel éditeur écossais, des tas de livres à indexer.

— Tu es sûr, papa, et les « boîtes vertes » sur les quais de Seine, elles vont rester fermées ?

— Alan ne les ouvrira que quelques heures par jour, voilà tout ! s'agaça Stephen. Bon allez, nous avons du travail !

Il se leva sans ajouter un mot. Kayla fit de même, n'osant pas reprendre la discussion.

Après une heure de silence pesant, Stephen s'exprima enfin :

— Ponçage terminé, ma fille, j'en ai marre, j'ai le bras en compote.

— Tu as raison, je suis morte ! Kayla s'affala sur le sol, les bras en croix, et se mit à imiter le gémissement d'une petite fille.

— J'ai mal partout !

— Ah, dommage…

Elle tourna la tête vers son père, la mine dubitative.

— Pourquoi dis-tu cela ?

Kayla vit enfin réapparaître au coin des lèvres de Stephen son sourire si particulier.

— Non, tu es trop fatiguée, tant pis, une autre fois peut-être ! plaisanta-t-il tout en saisissant sa veste accrochée à la poignée de la porte. Je monte me doucher.

— Papa, arrête ! Qu'y a-t-il ?

Kayla se releva, prête à bondir.

— Ça te dirait de faire un tour à Chelsea ce soir ?

— Oh, yes ! fit Kayla en serrant le poing de contentement.

— Tu ne sais même pas où je t'emmène !

— Bien sûr que si, au *Five Fields* sur Blacklands Terrace !

— Bien vu, je t'invite, et repas gastronomique cette fois-ci !

— Quelque chose de particulier à fêter ?

Le sourire de Stephen disparut immédiatement. Sans en connaître la raison, Kayla se dit qu'elle venait de faire une gaffe.

— Désolée papa !

Stephen s'approcha de sa fille et l'embrassa puis saisit sa tête.

— Tu veux savoir ce que l'on fête ?

— Oui !

– Rien de particulier, le plaisir d'être ensemble, voilà tout… et aussi… de dévorer un superbe repas, fit-il en tapotant sur le ventre de Kayla.

– Super, va prendre ta douche, pendant ce temps, je téléphone à George pour l'avertir que je rentrerai tard ce soir. Après, laisse-moi une bonne heure et je me fais belle pour toi !

Kayla était heureuse. Stephen s'évadait quelques heures de ce quotidien devenu si lourd à porter.

Ce n'est qu'au moment du dessert qu'il fit part à sa fille de son intention de vendre l'ancienne cabane de pêcheur d'Arcachon.

– Pourquoi ? Nous y avons passé de bons moments. Papi et mamie sont-ils d'accord ? s'enquit-elle, l'air grave, presque affolée. J'ai l'intention d'y revenir.

– Ils me laissent libre de faire comme je le désire. C'est mieux ainsi. Nous y allons peu et l'entretien coûte cher.

– C'est toute ton enfance papa, enfin, mais pourquoi ?

– C'est loin et puis…

Elle ne laissa pas terminer son père et rentra dans une colère bien inhabituelle.

– Tu fais chier, tu aurais pu m'en parler, je ne veux pas que tu vendes ! s'exclama-t-elle, faisant se retourner les clients de plusieurs tables.

– Kayla, calme-toi, écoute, j'ai pris ma décision !

– Et moi, je te dis que je ne veux pas que tu vendes !

– J'en ai déjà parlé à plusieurs agences.

– O.K., je te rachète la maison ! rétorqua-t-elle en se redressant et en croisant les bras en signe de défi.

– Je ne savais pas que cette maison représentait tant pour toi.

Elle continua sur le même ton :

– Et toi, jure-moi qu'elle ne représente rien pour toi !

– Kayla, s'il te plaît...

– Papa, si tu me jures que toutes ces randonnées que nous avons faites par tous les temps ne sont rien pour toi à part de simples balades, alors oui, tu peux vendre.

– Je te le...

– Regarde-moi dans les yeux !

– ...

– Tu vois, tu ne peux pas ! Je sais qu'Arcachon représente quelque chose de particulier pour toi ; tu n'es pas bien en ce moment et tu veux vendre, il y a un lien. Je ne te demanderai pas lequel ; si tu veux vendre, tu es libre, mais tu le regretteras.

– Je te promets d'y réfléchir... et rien n'est encore fait.

– Tu te souviens de nos promenades ? J'ai encore envie d'en faire avec toi.

– Bien sûr, très bien, je ne prendrai aucune décision sans t'en parler.

Stephen ne put dormir cette nuit-là. Il laissa les volets ouverts et regarda se dessiner sur le plafond les lumières du Tower Bridge. Il ne pleura pas, non qu'il n'en ait pas envie, mais il était épuisé de chagrin et ses yeux restèrent désespérément secs.

Il pensait à Camille et se posait mille questions. Que faisait-elle en ce moment ? Qu'avait-elle fait hier ? Que ferait-elle demain ? Pensait-elle à lui ? Faisait-elle l'amour avec son mari ? Riait-elle ? Le pleurait-elle quelquefois ?

Il n'avait aimé qu'elle et il ne savait pas comment il poursuivrait sa vie sans elle. Il le savait, il avait fait la plus grande bêtise de sa vie quand il lui avait proposé bêtement d'aller un peu plus loin dans leur relation.

À l'aube, ses yeux n'avaient toujours pas quitté le plafond. Dans trois jours, le monde entier s'échangerait des cadeaux. Stephen serait avec sa fille, George et ses parents. Quelques amis passeraient les saluer et leur souhaiter un « *Merry Christmas* ». Il ouvrirait ses cadeaux et en offrirait, il ferait comme si… comme si le plus beau des cadeaux était là, et il sourirait, mais il ne serrerait que du papier entre ses mains.

Il faisait froid, en cette nuit de réveillon de Noël, sur la terrasse des *Vieux Tilleuls*. Camille venait de sortir, « pour prendre l'air », avait-elle prétexté. Elle grilla deux cigarettes et enroula l'écharpe de cachemire bleu autour de son cou ; elle ne pouvait pas se passer de son parfum. Elle se l'était promis, quand l'odeur disparaîtrait du tissu, elle l'oublierait, oui, elle l'oublierait. Comment pouvait-elle dire cela ? Pour espérer qu'un jour, la vie serait plus facile, qu'elle n'aurait plus ces satanés maux de crâne à trop penser à lui.

« Mon Dieu, si tu existes, que dois-je faire ? » implorait-elle parfois.

Elle regarda à travers la vitre d'une des portes-fenêtres ; Lucas et Vanessa étaient là, ils se chamaillaient. Lucas n'arrêtait pas de remettre en route son nouveau jeu sur la télé du salon, avec l'aide complice de son oncle, et Vanessa avait la tête plongée dans le dernier Smartphone qu'elle venait de déballer.

Ses enfants l'aidaient à croire qu'un jour elle oublierait cet adolescent qui lui serrait si fort la main sur les bancs du lycée Grand Air d'Arcachon.

25 décembre, 2 heures du matin aux *Vieux tilleuls* (heure GMT + une heure) : Camille ne pouvait pas dormir. Elle descendit et s'allongea sur un des larges canapés du grand salon, avec un livre entre les mains : *Oliver Twist*.

25 décembre, une heure du matin à Londres (heure GMT + 1 h) : Stephen venait de rentrer chez lui. Il se dirigea vers son bureau et alluma sa lampe qui n'éclairait que ses mains, le reste de la pièce se maintenant dans la pénombre. Il se saisit d'une liasse de feuilles de papier et du stylo-plume que Kayla venait de lui offrir.

Il nota un titre sur la première page blanche : « Le Manuscrit inachevé ».

– 18 –

Le manuscrit inachevé

Imaginez, posé sur votre bureau, un livre inconnu dont le titre serait : « Le Manuscrit inachevé ».

Le saisiriez-vous pour le feuilleter ? Si vous êtes en train de vous poser la question, alors oui ! Vous regarderiez sa quatrième de couverture.

Et là, à l'encre noire, juste une question écrite à la main :

Et si tu avais le pouvoir d'écrire ton avenir, que ferais-tu ?

— Pourquoi n'as-tu jamais écrit ? Toi qui aimes tant les livres ? demanda Camille un jour.

— Il y a ceux qui lisent et ceux qui écrivent ! lui répondit Stephen.

— Tu devrais ! Je suis sûre que tu raconterais de très belles histoires.

— L'écriture est un long travail solitaire, je ne crois pas en avoir la patience… et puis, il faut un sujet, un qui te prend les tripes.

— Et alors ?

— Et alors, le sujet, je ne l'ai pas, voilà tout. *Des mots et des maux* et *Just a few words* m'occupent à temps plein. J'ai bien griffonné quelques pages un jour ; elles ont fini dans la corbeille à papier.

— C'est dommage ! conclut-elle.

« *Un sujet qui prend aux tripes* », avait-il dit à Camille !

Le sujet, il l'avait, il fallait à présent que se produise le déclic, qu'un événement lui donne l'envie d'écrire.

C'est à l'occasion du repas de réveillon de Noël, chez ses parents, qu'il eut l'idée de commencer la rédaction du manuscrit, alors qu'il venait de découvrir le cadeau de sa fille ; un si beau présent ne pouvait pas rester inutilisé.

Stephen pensa qu'elle l'avait peut-être fait exprès. Elle avait deviné que son père cachait un mal qui le rongeait et l'incitait à gommer Arcachon de sa mémoire. Peut-être lui offrait-elle, avec ce stylo-plume, l'opportunité de le raconter, comme une forme d'exutoire à sa tristesse.

— J'espère que tu en feras bon usage, bon Noël, papa.

— Il est magnifique, merci ! avait-il répondu avec la pudeur d'un père envers sa fille.

5 heures du matin, Stephen s'écroula sur son bureau. Il s'endormit profondément, la tête posée sur la cinquantaine de feuilles qu'il venait d'écrire presque sans interruption.

Les seules coupures qu'il s'était autorisées avaient été pour remplir sa tasse de thé et la déguster face à la vitre, admirant les lumières de la cité londonienne.

La plume glissait avec facilité sur le papier, le silence de la nuit l'accompagnait. Quelques feux d'artifice, tirés en cette nuit de réveillon, vinrent lui rappeler qu'il n'était pas seul au monde, que la vie existait en dehors de son récit. Les pages défilaient, il les relisait rapidement en faisant, çà et là, quelques corrections.

Stephen leva la tête de son bureau vers 10 heures. Cela faisait bien longtemps qu'il n'avait pas dormi cinq heures d'un trait. Ses parents, sa fille et son ami seraient là dans trois heures.

Dans la famille Lodgers, lorsque Stephen était à Londres, la tradition demeurait immuable : le 24 au soir, le repas se déroulait chez Julia et Andrew, et le 25 à midi chez Stephen. Il n'avait que trois heures devant lui pour ranger l'appartement, se rendre présentable et préparer le repas.

Il entendit la clef tourner dans la serrure et la porte d'entrée claquer alors qu'il était dans la salle de bains.

— C'est moi, papa !

Encore sous la douche, il répondit avec surprise :

— Que fais-tu là ? Il est à peine dix heures trente !

— Je sais, mais vu ta forme d'hier soir, je me suis dit que tu ne refuserais pas un peu d'aide.

— C'est gentil, et avec plaisir, ma fille !

— Quel foutoir papa, c'est fou ! Allez, je vais ranger tout ça !

— Bon courage ma fille, bon courage.

Kayla constata que le lit était intact.

— Tu n'as pas dormi ici ? s'étonna-t-elle.

Le bruit de la douche couvrait la voix de Kayla.

— Que dis-tu ? Je ne t'entends pas.

Elle s'approcha du bureau et remarqua le stylo-plume qu'elle lui avait offert, posé sur un tas de feuilles où elle reconnut son écriture.

— Rien papa, rien, tout va bien.

— O.K., je n'en ai plus pour longtemps.

Intriguée, elle n'eut que le temps de lire la dernière phrase qui semblait être la fin d'un chapitre :

« Elle n'en sut rien, mais depuis ce jour, je l'ai aimée ! »

Son père sortit de la salle de bains.

— Excuse-moi papa, j'ai vu que tu avais utilisé le stylo que... machinalement, j'ai... Kayla ne savait plus quoi dire et se mit à balbutier tout en rougissant de gêne.

Stephen s'approcha et retourna la feuille de papier, avant de ranger l'ensemble dans le tiroir de son bureau.

— Ce n'est rien, dit-il d'un ton contrarié, mais sans excès.

— Tu écris un livre ?

— J'essaie du moins.

– C'est une histoire d'amour ?

Il hésita avant de répondre :

– Oui.

– Et le « je », c'est toi ?

– Et si nous allions préparer le repas ? proposa-t-il afin de mettre un terme à la conversation.

Kayla n'insista pas.

Stephen mit deux mois pour écrire trois cents pages. Il décida, avant que son récit ne soit terminé, de convertir le manuscrit papier en tapuscrit informatique.

La manipulation du vieux micro-ordinateur et la vitesse de frappe furent difficiles et s'éternisèrent bien trop à son goût, mais au final il fut satisfait ; cela lui permit de relire et de corriger son récit dans les moindres détails.

Stephen venait d'écrire son histoire avec Camille, celle qu'ils avaient vécue depuis les bancs du lycée. Il découpa son récit en trois périodes : l'adolescence à Arcachon, l'interminable attente pour la retrouver et les dix mois qu'ils avaient passés ensemble, à se redécouvrir puis à s'aimer.

Il ne lui restait plus qu'à s'investir dans le récit de la quatrième et dernière partie. Il n'avait pas imaginé que ce serait si difficile ; il sortait de la réalité et entrait dans la fiction. Durant une semaine, il s'installa à son bureau, refaisant, chaque soir, les mêmes gestes. Il griffonnait quelques paragraphes qui finissaient invariablement dans la corbeille à papier.

Le troisième chapitre se terminait à la gare du Nord, là où Camille avait décidé que tout était fini. Stephen ne se sentait pas le droit d'inventer une suite à leur histoire ; il aurait considéré cela comme une forme d'irrespect envers celle qu'il avait toujours aimée. Il imagina des tas de scénarios, mais jamais il ne put écrire la moindre ligne.

Le froid du mois de février s'éternisait, une fine couche de neige recouvrait les trottoirs parisiens. Les vacances d'hiver débutaient, Lucas venait de boucler sa valise. Camille allait passer quelques jours aux *Vieux Tilleuls* avec son fils, dans la maison de Mathilde et Hubert. Son mari et Vanessa les rejoindraient pour le week-end. Les parents de Richard avaient déserté le domaine pour leur traditionnel séjour au ski dans les Alpes.

Depuis ses malaises répétés de l'hiver dernier, Mathilde devait se ménager. Les médecins lui avaient prescrit deux cures annuelles de quinze jours dans une maison de repos du Pays basque, proche de Biarritz. Camille se proposa pour passer quelques jours avec Hubert et l'aider dans les tâches ménagères qu'il avait bien du mal à assumer seul.

Elle souhaitait se reposer et déconnecter du cabinet, s'autorisant uniquement deux heures de travail quotidien sur ses dossiers, le plus souvent le soir lorsque Lucas, épuisé par ses journées bien remplies, tombait de sommeil.

Elle s'installait sur la table du salon ; le feu crépitait dans la cheminée. Hubert, assis dans son fauteuil, regardait la télévision. Quelquefois, il se retournait pour dire quelques mots à Camille, qui lui répondait avec tendresse, lui souriait et se replongeait dans son travail. Camille se sentait bien ; chaque soir, vers 22 heures, elle préparait une tisane et s'installait à côté d'Hubert. Ils ne parlaient pas forcément, mais ils étaient heureux d'être ensemble.

Le jeudi matin, le facteur déposa un colis adressé à Camille ; elle avait demandé à Claudia de lui faire suivre son courrier deux fois dans la semaine.

— Eh bien, dis-moi, tu vas avoir du travail, fit remarquer Hubert tout en déposant l'épais colis sur la table.

— Ah, quand même ! s'étonna-t-elle. Je commencerai à faire un peu de tri lorsque nous rentrerons des courses en fin d'après-midi.

Vers 18 heures, Camille s'installa sur le canapé. Hubert finissait de ranger les sacs de courses avec Lucas. Elle ouvrit une à une les enveloppes, découvrant les immuables factures, les comptes rendus d'audience et les dossiers de deux affaires qu'elle avait demandé à Claudia de lui faire parvenir.

— Nous allons dans l'atelier avec Lucas jusqu'à l'heure du dîner. Tu n'as pas besoin d'aide ? questionna Hubert.

— C'est bon, je finis de regarder mon courrier et je prépare tranquillement le repas.

Camille feuilleta rapidement un des dossiers ; elle avait prévu de rédiger les premières conclusions ce soir.

Elle se leva pour aller fumer une cigarette dehors, lorsqu'elle vit une épaisse enveloppe glisser du canapé.

– Mince, je l'ai oubliée, celle-là ! soupira-t-elle.

Camille déchira la pochette kraft et prit le document à la couverture cartonnée et reliée avec une spirale plastique. Elle enfila son manteau, sortit de la maison et tout en recrachant les premières bouffées de fumée, détailla le document.

La première page portait un simple titre imprimé en police épaisse : « Le Manuscrit inachevé ».

Surprise, elle pensa qu'il s'agissait d'une erreur de la part de Claudia. Par curiosité, elle parcourut rapidement le document en tapant des pieds pour se réchauffer ; le froid était vif et un vent glacial balayait les plaines de la Beauce. Elle découvrit deux cents pages dactylographiées, suivies d'une cinquantaine de feuilles blanches. Elle voulut écraser sa cigarette et fit tomber le document à terre ; elle s'accroupit pour le ramasser et tomba sur la quatrième de couverture. Son cœur se serra quand elle reconnut l'écriture de Stephen :

« Et si tu avais le pouvoir d'écrire ton avenir, que ferais-tu ? »

Camille feuilleta le manuscrit, découvrant son prénom qui s'étalait au fil des pages. Quelques mots se figèrent dans son esprit : « Arcachon », « dune », « attente », « corps », « passion ». Elle comprit qu'elle avait entre les mains le récit que Stephen avait fait de leur histoire d'amour.

Ses jambes vacillèrent. Camille s'écroula à terre, terrassée par l'émotion ; elle se mit à pleurer, elle ne pouvait plus s'arrêter de pleurer. Cela faisait six mois qu'elle n'avait pas eu de nouvelles de cet homme auquel elle pensait tous les jours et qui lui offrait un si merveilleux cadeau.

Camille sentait lâcher toutes les résistances et frustrations qu'elle avait accumulées depuis leur séparation. Assise contre le muret de pierre, elle serrait si fort contre elle le manuscrit que la trace de ses ongles s'y incrustait. Ses yeux remplis de larmes ne pouvaient plus rien voir, et elle leva la tête vers le ciel sombre et étoilé. Elle suffoquait entre deux sanglots, arrivant à peine à reprendre sa respiration.

À cet instant, elle n'était plus aux *Vieux Tilleuls*, elle n'était plus la femme de Richard, la mère de Vanessa et de Lucas. Elle était simplement Camille dans les bras de Stephen à *Des mots et des maux*, elle lui faisait l'amour, elle caressait son corps, elle écoutait sa voix. Elle ne s'en rendait pas compte, mais elle prononçait son prénom à l'envi, elle ne pouvait s'arrêter.

Ses joues se mirent à rougir sous l'effet conjugué du froid et de la chaleur des larmes.

Malgré la température et le vent, elle resta assise pendant près d'une heure contre la murette, lisant le manuscrit aussi vite qu'elle le pouvait. Elle souriait, riait quelquefois, hoquetait nerveusement tout en essuyant ses larmes à de multiples reprises. Chaque page lui faisait ressentir la tendresse et la retenue d'une intense passion.

Il était 19 heures, Camille venait de finir le premier chapitre. Elle ferma le manuscrit, le serra une fois de plus contre elle et se mit à chuchoter comme si elle parlait à Stephen :

— Tu m'as aimée dès le premier jour, dès le premier jour...

Tout à coup, elle entendit la porte du cellier, qui donnait dans la cuisine, s'ouvrir. Hubert et Lucas rentraient pour le repas, la cuisine était vide.

— Mais où est donc ta mère ?

— Je vais voir dans la chambre, peut-être qu'elle s'est endormie, supposa Lucas tout en partant en courant dans le couloir.

Hubert remarqua la lumière extérieure allumée ; il s'approcha, ouvrit la porte et découvrit Camille, les larmes à peine séchées, serrant contre elle le manuscrit. Elle le regarda, son visage vide trahissant une immense détresse.

— Mon Dieu, Camille, mais que fais-tu là ? Que se passe-t-il ? demanda-t-il en s'accroupissant à ses côtés.

— ...

— Tu es malade ? Dis quelque chose, réponds-moi ! s'affola Hubert.

Camille reprenait peu à peu ses esprits.

— Lucas... où est Lucas ?

— Dedans, il te cherche.

— Je ne veux pas qu'il me voie comme ça ! S'il te plaît, ne le laisse pas sortir.

— Très bien, je m'en occupe, relève-toi, tu es glacée, rentre donc à l'intérieur.

Camille se leva doucement et s'essuya le visage, gardant toujours contre elle le manuscrit.

— Passe par-derrière, par le cellier, tu pourras te réchauffer un peu. Je rentre, Lucas est dans la cuisine.

— Tu as raison, je vais me passer un gant sur la figure avant de vous rejoindre.

— Tu n'es pas malade au moins ? s'inquiéta Hubert qui se dirigea vers la porte d'entrée.

— Non, une grosse fatigue…

— Bon… prends ton temps. Je vais préparer du jambon et des pâtes.

Camille disparut dans la nuit. Hubert avait remarqué le manuscrit qu'elle tenait si fort contre elle.

— Ça va maman ? Tu as pleuré ? s'enquit Lucas en découvrant le visage de sa mère.

Elle rassura son fils :

— Mais non, pourquoi veux-tu que je pleure, j'ai le plus beau des fistons ! Je me suis promenée trop longtemps, j'ai eu froid, voilà tout.

— Ah d'accord, fit Lucas sans conviction.

— Bon, ces couverts, ils ne sont pas encore en place ! Les pâtes vont être prêtes, lança Hubert en faisant semblant de s'indigner.

Le repas parut sans fin à Camille qui ne pensait qu'à une chose : continuer la lecture du manuscrit. Elle se força à avaler quelques morceaux de jambon et deux cuillères de pâtes. Inquiet, Hubert la dévisagea à de multiples reprises, elle essaya de le rassurer avec de timides sourires. Lucas se délecta de ses deux mousses au chocolat, avant de s'asseoir devant l'écran de télévision de sa chambre où il s'attela à détruire le maximum d'envahisseurs à coups de missiles intergalactiques et de percussions extratemporelles.

Hubert s'installa, comme d'habitude, dans son fauteuil, tandis que Camille finissait de ranger la vaisselle. Ils appelèrent Mathilde qui semblait être en pleine forme après à peine dix jours de cure. Camille discuta près d'un quart d'heure avec sa « petite mère ».

— Tout va bien ?

— Oui, elle est en super forme !

— Non, toi, Camille ? Mathilde, je sais qu'elle va bien.

— Ça va, de la fatigue, tout simplement. Ce soir je ne travaille pas, je vais plutôt bouquiner.

Hubert hésita, mais il ne put se retenir :

— Tu vas bouquiner… ce que tu tenais si fort contre toi tout à l'heure ?

— Euh… oui… enfin, c'est un essai de roman que m'a envoyé une copine. Elle veut… connaître mon avis, improvisa-t-elle tout en triturant ses dossiers comme pour se donner une contenance.

— Très bien.

— Je me mettrai sur le canapé.

— Si tu veux, ce sera avec plaisir.

Le massacre intergalactique n'étant pas encore fini, Lucas eut la permission de veiller plus tard ce soir. Camille s'allongea sur le canapé tandis qu'Hubert s'installait devant sa série policière préférée.

— Ne te gêne pas pour moi, tu sais !

— Pourquoi dis-tu cela ? interrogea-t-elle tout en disposant un épais coussin sous sa tête.

— Les femmes, les romans à l'eau de rose... ça pleure, alors ne te gêne pas.

Elle ferma les paupières en signe d'approbation et se mit à lire le deuxième chapitre : « L'attente ».

Lorsqu'il se retournait, Hubert ne voyait pas le visage de Camille, caché par le manuscrit ; il n'entendait que des sanglots ou des rires étouffés. Il décida de ne pas l'interrompre et la laissa poursuivre sa lecture.

22 h 30 : Camille n'avait toujours pas levé les yeux du manuscrit. Hubert se dirigea vers la cuisine pour faire chauffer l'eau dans la bouilloire, puis déposa les deux tasses sur la table du salon.

— Désolée, je n'ai pas pensé à la tisane ce soir.

— Pas grave ! Passionnant ce roman, dis-moi ? Je ne t'ai pas entendue de la soirée, à part des froissements de mouchoir pour essuyer tes sanglots.

— C'est une belle histoire !

— Une histoire d'amour, je suppose ?

— Oui... une magnifique histoire d'amour, confirma Camille tout en déposant le manuscrit à terre avant de se saisir de sa tasse.

— Douée, ta copine, alors ?

— Oui, fit-elle en souriant.

— Et ça finit bien ? D'habitude, plus c'est triste et plus vous aimez, mesdames ! s'amusa Hubert.

Il venait de terminer sa tisane et regagna son siège.

— Ça dépend !

Il se retourna.

— Comment ça, ça dépend ?

— Le manuscrit est incomplet.

— Ah, O.K., elle doit le terminer.

— Oui... ou le lecteur.

— Le lecteur ! Remarque, c'est pratique, chacun choisit sa fin. Comme cela, tout le monde est content.

— Oui... sans doute ! Tu ne vas pas te coucher ?

— Je crois que je vais regarder le troisième épisode. Si je m'endors, tu me porteras jusqu'à mon lit, badina Hubert.

— Certainement pas !

— Une couverture, cela suffira, allez, bonne fin de lecture ma belle !

Avant de se réinstaller, Camille se dirigea vers Hubert, s'agenouilla et posa sa joue sur sa main.

— Je suis bien ici avec toi, dit-elle.

Elle resta ainsi plusieurs minutes. Hubert ne bougea pas.

Il était plus de minuit. Camille s'était endormie, le manuscrit déposé à terre. Hubert s'approcha et le ramassa. Il fit attention de ne faire aucun bruit et baissa la lumière du salon ; seule la veilleuse disposée à côté de son fauteuil resta allumée.

Il feuilleta le manuscrit, lut quelques extraits, revenant parfois en arrière, relisant certains passages qui l'intriguaient. Il découvrit la seule phrase que contenait le dernier chapitre :

« Si elle doit exister, je n'ai pas le droit d'écrire la suite de notre histoire. À toi de décider si tu as envie de l'inventer… »

Le pressentiment qu'il avait eu lorsqu'il avait découvert Camille, le visage défait, en plein froid et le manuscrit collé contre elle, se confirma.

Il redéposa l'ouvrage au pied du canapé et se dirigea vers la chambre où Lucas dormait depuis un long moment. Il coupa la télé, remonta les draps, éteignit la lumière et ferma la porte.

Hubert n'osa pas réveiller Camille. Il déposa une couverture sur elle et une autre pliée sur ses pieds. Il monta de deux degrés la température des radiateurs du salon, regarda une dernière fois son visage et se dirigea vers le garage.

Il attrapa une ancienne boîte à chaussures rangée sur l'étagère la plus haute, cachée derrière ses caisses à outils. Il retourna dans sa chambre et déposa sur la commode la boîte vieillie par les années. Il eut du mal à trouver le sommeil cette nuit-là.

Quelques heures plus tard, Camille fut réveillée par l'odeur du café.

— Allons debout, il est dix heures, ton fils est déjà au travail. Nous taillons les rosiers de l'allée, les fameux *Mister Lincoln* ! Je t'ai préparé ton déjeuner.

Camille s'étira longuement tout en remontant la couverture sur ses épaules.

— Merci, « petit père ». Je dois aller chez les beaux-parents tout à l'heure, j'allumerai tous les chauffages, ils rentrent ce soir. Richard, Vanessa, Eymeric et sa famille arrivent demain matin, je vérifierai si tout est prêt dans les chambres.

— Nous irons cet après-midi si tu préfères ? lui proposa Hubert.

— Non, merci, ça m'occupera.

— Très bien, je pars vérifier si ton fils ne s'est pas découpé les doigts avec le sécateur, plaisanta Hubert tout en disparaissant derrière la porte du cellier.

La journée se déroula lentement. Tourmentée, Camille chercha mille occupations pour ne pas trop penser. Maryse et Maxime prévinrent Hubert qu'ils rentreraient vers 18 heures ; il passa donc son après-midi à nettoyer les escaliers, la terrasse et le hangar à voitures, car tout devait être impeccable.

Camille l'aida à ratisser les graviers ; ils avaient à peine rangé le matériel que la Volvo break se fit entendre dans l'allée du domaine.

— Bonsoir, vous avez fait bon voyage ? demanda Hubert, accompagné de Camille.

— Exécrable, huit heures de route ! Les aires de repos bondées, je suis épuisée ! répondit Maryse. Allons Maxime, dépêche-toi, attrape donc les bagages, ajouta-t-elle en agitant les bras pour qu'il obtempère plus vite.

Camille s'approcha pour les saluer. Son beau-père prit le temps de lui faire la bise alors que Maryse se fendit d'un simple signe de la main. Elle n'insista pas et se retira avec Hubert.

— Ça, c'est fait au moins ! Comment fais-tu pour les supporter ?

— L'habitude sans doute !

— Ah bon, on s'habitue à tout alors.

— Peut-être…

— Rentrons, il fait froid, fit-elle tout en saisissant le bras d'Hubert.

— Tu as raison, allons préparer le repas, Lucas doit être mort de faim. Je pense qu'il n'a pas oublié que nous lui avons promis des crêpes.

— J'en suis même sûre !

Lucas prit en charge de faire sauter les crêpes, et le résultat ne se fit pas attendre : quelques-unes finirent sur le carrelage, ce qui ne l'empêcha pas de les récupérer et de les dévorer, accompagnées d'épaisses couches de confiture et de chantilly.

Camille devait impérativement finir un compte rendu ce soir ; elle s'installa, étalant ses dossiers sur la table.

— Nous allons avoir un beau week-end, fit remarquer Hubert qui venait de regarder la fin des informations.

— Tant mieux, nous pourrons respirer un peu. Deux jours enfermée au domaine, beaucoup trop pour moi !

Hubert se leva et se dirigea vers sa chambre, où il prit entre ses mains la vieille boîte à chaussures. Il se planta devant Camille. Elle remarqua sa présence insistante et leva les yeux de son écran d'ordinateur.

— Oui Hubert, qu'y a-t-il ?

— Écoute, je sais que ça ne me regarde pas, mais…

Camille l'encouragea à poursuivre.

— Qu'est-ce qui ne te regarde pas ?

— Camille, je me suis permis de feuilleter le manuscrit de ta « copine », hier soir, quand tu dormais.

— Ah...

— C'est une histoire bouleversante, même si je n'ai pas tout lu, dit-il, gêné, tout en triturant la vieille boîte.

— Oui...

— Camille, je voudrais que tu prennes un peu de temps pour...

Hubert ne finit pas sa phrase et déposa la boîte sur la table.

— Ouvre-la, je te laisse regarder ce qu'elle contient.

Intriguée, Camille fixa Hubert du regard.

— C'est quoi ? insista-t-elle.

— Ouvre-la, je pense que ça peut t'aider.

— M'aider ?

— Oui Camille, t'aider !

Hubert s'installa dans son fauteuil, laissant Camille découvrir ce que contenait la boîte. Elle ôta le couvercle, et un nuage de poussière s'échappa du carton.

Un paquet de lettres retenues par un lien en raphia bleu et une dizaine de photos étaient rangés sous une couche de papier journal. Elle se saisit avec précaution des clichés qu'elle regarda avec attention. Elle reconnut Hubert lorsqu'il devait avoir environ vingt ans, avec à ses côtés une jeune femme blonde le tenant par le bras. Camille pensa d'abord qu'il s'agissait de Mathilde, mais elle se rendit à l'évidence, cette personne lui était totalement inconnue. Elle dénoua doucement le lien de raphia, libérant douze lettres d'amour signées de la même personne : Élodie. Tout au fond de la boîte, elle trouva une dernière lettre cachetée avec un timbre non oblitéré, dont la destinataire était Élodie et l'expéditeur Hubert ; Camille la tenait entre ses mains, ne sachant que faire.

— J'ai écrit cette lettre il y a près de cinquante ans, je ne l'ai jamais envoyée, fit Hubert d'un ton mélancolique. Depuis, elle est restée là, je n'ai jamais osé la relire.

Un long silence s'installa avant qu'Hubert ne poursuive.

— Tu peux l'ouvrir si tu veux, lui proposa-t-il.

— Non, je ne peux pas, assura Camille tout en reposant la lettre.

— Ça me ferait plaisir, ce sera un peu notre secret, fit-il en haussant les épaules.

Elle ouvrit délicatement l'enveloppe et en retira deux feuillets de papier épais. Elle lut attentivement la lettre. Hubert y déclarait son amour à Élodie et lui proposait de partir avec lui, loin de leurs familles qui refusaient leur amour. Elle replia les feuillets dans l'enveloppe et rangea le tout avec précaution dans la vieille boîte de carton.

— Pourquoi tu n'as jamais envoyé cette lettre ?

— J'ai eu peur, sans doute.

— Peur de quoi ? Vous vous aimiez, non ?

— Du bonheur sans doute, et toi, tu ne l'aimes pas ?

— Si… mais ce n'est pas pareil, tu ne connaissais pas Mathilde.

— C'est vrai, mais je le regrette encore ! avoua-t-il, la voix étranglée par l'émotion.

— Cinquante ans après ? soupira Camille.

— Oui !

— Tu l'as revue un jour ?

— Non ! Allons, le film va commencer et je crois que tu as du travail… les regrets, ça ne sert à rien.

Camille se dirigea vers Hubert qui fixait l'écran ; il ne se retourna pas. Elle se colla contre le fauteuil et posa ses mains sur ses épaules.

— Merci, fit-elle simplement, puis elle alla finir son compte rendu.

Ni l'un ni l'autre ne parla pendant près d'une heure. Hubert but rapidement sa tasse de tisane et partit se coucher. Camille se retrouva seule, éteignit son ordinateur et rangea l'ensemble de ses dossiers. Elle s'assit sur le fauteuil d'Hubert et relut certains passages du « Manuscrit inachevé ».

Elle décida qu'elle n'écrirait pas la quatrième partie du roman ; elle préféra rédiger une lettre qu'elle glissa à l'intérieur du livre, juste à l'endroit où débutaient les feuilles blanches.

Le samedi matin vers 10 heures, Camille et Lucas s'installèrent au domaine ; Richard et Vanessa n'allaient plus tarder. Avant de quitter la maison, elle demanda à Hubert un service, et lui fit promettre qu'il tiendrait parole.

— Tu vas chercher Mathilde mercredi prochain, c'est bien ça ?

– Un sacré voyage, huit cents kilomètres. Nous ne rentrerons que jeudi.

– Peux-tu faire un petit détour par Arcachon ?

– Par Arcachon ! Quelque chose à déposer chez ta mère ? s'étonna-t-il.

– Non… Camille lui montra la lettre qu'elle venait d'écrire, glissée à l'intérieur du manuscrit. J'aimerais que tu déposes le tout dans la boîte aux lettres d'une ancienne maison de pêcheur, en bordure de l'océan. J'ai décrit la route à suivre sur ce plan, tu ne peux pas te tromper.

– Bien sûr Camille.

Le début du manuscrit lui revint à l'esprit.

– Tu me le promets, Hubert ? C'est important !

– Camille, ce sera fait !

Elle lui fit un signe de la main tout en s'éloignant dans l'allée.

– À tout à l'heure, je pars chez les « châtelains » !

Comme promis, Hubert se rendit sur le port du Moulleau et suivit scrupuleusement les consignes de Camille ; il découvrit le prénom de Stephen noté sur l'enveloppe.

Avant de repartir, il se dirigea vers la plage. Le temps était gris, un crachin tenace enveloppait les pins et les dunes, le Cap Ferret se devinait à peine à travers la brume. Il resta un instant à contempler le bassin puis remonta vers l'esplanade déserte en cette saison. Machinalement, il jeta un dernier regard vers la cabane. Avant de reprendre la direction de Biarritz, il appela Camille pour lui confirmer que son courrier était arrivé à destination.

Jamais il ne parlerait de cette lettre à Mathilde.

Camille le remercia et raccrocha son téléphone, avant d'envoyer un SMS à Stephen :

> Merci pour le magnifique manuscrit. Tu vois, j'avais raison, l'écriture te va bien ! Tu trouveras… ma réponse dans ton cabanon d'Arcachon.

Stephen, lorsqu'il reçut le message, était à *Des mots et des maux*. Il ferma sa boutique précipitamment et courut vers la première station de métro en direction de la gare Montparnasse. Il prit le TGV pour Arcachon ; dans cinq heures, il découvrirait les mots de Camille.

Assis dans le train, il lui répondit :

> Je roule vers toi !

– 19 –

La lettre

Les lettres d'amour sont les plus belles déclarations. On choisit le papier, la texture, la couleur de l'encre. Les phrases sont sélectionnées, mesurées, on réfléchit au moindre mot.

On rature, on déchire, on réécrit patiemment, jusqu'à cette ultime version où l'on donne le meilleur de soi-même.

On glisse la lettre dans l'enveloppe et le voyage commence jusqu'à l'être aimé.

Stephen, mon amour,

Il y eut d'abord la dune du Pilat et le coucher de soleil sur l'océan, puis il y eut nos vies parsemées de bonheur, de tristesse, de renoncements, d'espoirs et de matins, tellement de matins sans toi !

Stephen, mon amour, pourquoi es-tu revenu ?

Je te pose cette question mais je connais la réponse. Tu es quelqu'un de rare, Stephen, tu m'as aimée, tu m'aimes et tu m'aimeras, je le sais. Ce que tu m'apportes est inexplicable, tu m'as révélé qui j'étais et ce que je souhaitais au plus profond de mon être. Ce fut une tornade dans ma vie. On ne peut pas lutter contre une tornade : elle s'impose à vous.

Je souffre le martyre de ne pouvoir te serrer dans mes bras à chaque seconde, je souffre à m'en user les tripes de te savoir si loin de moi, je pleure souvent seule ; alors, je pense à toi, à la chaleur de tes mains, à la puissance de nos étreintes.

Je ne peux rien te promettre et je sais que tu comprendras. Lors de nos premières retrouvailles dans ta boutique, tu m'as raconté sans retenue l'instant où tu as dû choisir : sauver ta femme ou ton enfant. Ton subconscient a guidé ton choix, c'est sur Kayla que ton corps s'est posé ; il a souffert et l'a sauvée.

Je sais donc que tu comprendras que je ne peux imaginer vivre loin de Vanessa et Lucas, ne pas me réveiller tous les matins en entendant leurs voix. Ils sont, avec toi, la plus belle réussite de ma vie.

Nous ne vivrons pas un amour conventionnel, Stephen. Celui où l'on se courtise, se marie, où l'on a des enfants avant de vieillir ensemble en se tenant la main. Nous aurons des moments exclusifs, magiques, et nos séparations seront illuminées par le souvenir de l'autre.

Je me souviens de cette fin d'après-midi sur la dune du Pilat lorsque nous avions seize ans... Tu m'avais dit « Chaque année, nous reviendrons ici, je te le jure ! » Je le sais maintenant, je l'ai compris plus tard que toi : notre amour est plus fort que tout. Nous y reviendrons, sur cette dune, une fois, dix fois, mille fois, et seuls, loin du monde, nous contemplerons le soleil couchant.

La vie nous a offert un bijou, à nous de le choyer, de le regarder scintiller dès les premières embellies du printemps, de le réchauffer dès les premiers froids de l'automne.

Nous vivrons ce que les poètes appellent un amour impossible, hors des contingences, un de ces amours dont on dit qu'ils sont les plus beaux. Scintillants de passion et néanmoins secrets, intemporels, transcendants : une promesse d'éternité.

Camille

– 20 –

Une promesse d'éternité

Mon éternité c'est toi, seulement toi !

Cela n'a aucun sens, et alors ? Les plus belles choses ne s'expliquent pas, elles se vivent.

L'éternité, c'est chaque instant passé dans tes bras, chaque seconde à regarder ton visage, chaque vibration de ta voix.

Stephen lut à trois reprises la lettre de Camille. Il s'imprégnait de chaque phrase, chaque mot. Il sortit du cabanon et inspira à pleins poumons l'air marin. Il renaissait, revenant à cette vie qu'il avait quittée un soir, sur un quai désert de la gare du Nord.

Il savait maintenant que leurs deux existences étaient liées à jamais. Il aimait cette femme depuis l'âge de seize ans, elle venait de lui écrire la plus belle des preuves d'amour ; celle que chacun d'entre nous n'ose pas imaginer, emmitouflés que nous sommes dans nos certitudes. Nous nous disons que ces balivernes et ces niaiseries, c'est pour les autres ; que tout cela n'a pas réellement de sens, mais « tout cela », nous l'espérons toujours secrètement.

Stephen pensait avoir perdu à tout jamais celle qui l'avait déglingué, détruit, broyé et qu'il aimait plus que tout. Il se surprenait même, certains matins, à se dire :

« C'est bien, je n'ai pas pensé à elle hier soir ! Je n'ai pas vu son visage se dessiner sur le plâtre du plafond cette nuit. »

C'était idiot, mais c'était sa seule défense.

Il mourait peu à peu, pas de cette mort physique vers laquelle nous marchons tous, non, pas celle-là, cela aurait été presque un soulagement. Il mourait, car une partie de lui s'effaçait petit à petit, ou du moins le croyait-il.

Mais, comme dans un instinct de survie, un instinct d'amour, une nuit de réveillon de Noël, il se mit à écrire leur histoire, de la première main serrée jusqu'au dernier baiser, presque trente ans plus tard. Il était si triste qu'il se surprit à écrire des passages légers qui firent rire Camille au milieu d'un flot de sanglots, lorsqu'elle découvrit le manuscrit.

Comme une bouteille jetée à la mer, ce manuscrit avait trouvé son autre naufragé sur une autre île de solitude et de tourments. La vie est ainsi faite que les matins gris et lugubres sont souvent ceux qui apportent les plus improbables nouvelles ; rien ne bouge, tout est figé… et puis un message… et puis une lettre.

Les lumières scintillaient de l'autre côté du bassin, sur la presqu'île du Cap Ferret. Stephen était seul, il était bien, adossé à une barque de bois déposée sur le sable par la marée basse.

Il relut une dernière fois la lettre de Camille et regarda sa montre qui indiquait près de 21 heures. Il se dit qu'il lui enverrait un message demain. Pourquoi demain ? Pourquoi attendre ?

> Chaque fin d'après-midi, je monterai sur la dune, je chercherai ta silhouette, seras-tu là ?

Camille, ce soir-là, se coucha tôt, préférant relire les dernières pages du roman de Dickens plutôt que de s'abrutir devant la télé ; cela la rapprochait de Stephen.

Elle entendit les vibrations du téléphone sur sa table de nuit, et sourit ; elle savait que c'était lui. Elle découvrit le message, ferma les yeux un instant avant d'éteindre sa lampe de chevet.

Elle devait partir le surlendemain pour Toulouse, afin de plaider une affaire qui ne l'occuperait qu'une journée tout au plus. Elle en profita et prévint son mari qu'elle passerait, sur le chemin du retour, par Arcachon pour rendre visite à sa mère. Elle ne serait de retour à Paris que le samedi en fin d'après-midi, par le TGV de 22 heures.

Dès le lendemain de l'envoi de son message, Stephen partit en direction de la dune du Pilat ; il cala son horaire de départ pour arriver tout en haut à l'heure où le soleil se cache à l'horizon.

Mais personne ne l'attendait. Ni ne l'attendit les deux jours suivants.

Le vendredi, le ciel était bas ; une pluie fine s'abattit toute la journée sur le bassin. Stephen n'emprunta pas la route habituelle, préférant longer la plage et s'engouffrer dans les immenses forêts de pins qui conduisaient au flanc ouest de la dune.

Tout à coup, la forêt disparut, laissant place à l'immensité de sable. Sur ce versant, la pente est plus douce et offre une vue dégagée jusqu'au sommet. La dune était déserte ; une pluie glaciale continuait de s'abattre sans répit sur elle.

Stephen était seul, ses pas lourds s'enfonçaient dans le sable détrempé.

Camille apparut, d'abord une silhouette, mais il savait que c'était elle. Tout en haut, elle était là, elle l'attendait. Il aurait voulu accélérer le pas, mais il ne le put, alors il profita de l'instant.

Il arriva enfin près d'elle, il ne voyait que son sourire.

Camille se tourna et tendit les bras vers l'océan. Stephen se cala contre son dos et saisit sa taille.

— Tu te souviens de ce que je t'ai dit la dernière fois que nous étions ici ? demanda-t-elle.

— Oui, « *Serre-moi, serre-moi fort* » !

— Alors vas-y, aussi fort que tu peux ! Et offre-moi l'éternité !

Remerciements

Ah les remerciements, quel exercice difficile ! On a toujours peur d'oublier quelqu'un, mais j'ai décidé de prendre le risque. Je le dois à tous ceux qui m'ont accompagné depuis mes débuts d'écriture.

Je voudrais d'abord remercier l'équipe d'Amazon France qui a permis à des dizaines de milliers de lecteurs de découvrir *Seulement si tu en as envie*.

Merci à la communauté des auteurs indépendants avec qui j'ai partagé les joies, les craintes et les espoirs du difficile chemin de l'écriture.

Une pensée pleine de tendresse pour Claire. Ta sincérité m'a touché.

À Anne-Marie, responsable du centre culturel Leclerc de Libourne, pour sa gentillesse et son aide.

Aux équipes des éditions Michel Lafon, en particulier à Elsa Lafon ; vous avez fait le pari de croire en moi et je vous en remercie sincèrement.

À Natacha, ma « danseuse préférée », qui a su avec simplicité et l'amour d'une fille me soutenir avec la légèreté de l'artiste qui me fait tant de bien.

À toi Anouchka, je sais, tu n'aimes pas être mise en avant, mais du fond du cœur merci. Tu as été ma lectrice critique la plus intransigeante.

À Sylvia qui, jour après jour, a supporté mes hésitations et mes craintes. Si tu ne m'avais pas encouragé, cette magnifique aventure n'aurait pas pu aboutir.

À vous tous, inconnus ou pas, que j'observe et écoute chaque jour : vous m'inspirez mes personnages. Merci d'être vous-mêmes et de m'avoir permis de créer Camille, Stephen... et tous les autres.

Merci à mes souvenirs, accumulés depuis des dizaines d'années, qui jalonnent avec délicatesse et douceur les pages de mes romans.

Enfin à vous, lectrices et lecteurs, merci de vos messages et de vos encouragements. Sans vous, rien n'aurait était possible !

Et *Seulement si vous en avez envie...* rendez-vous pour d'autres aventures !

TABLE DES MATIÈRES

1. Cet hiver-là 11

2. La maison de famille 19

3. La « petite mère » 47

4. Le bonheur obligatoire 63

5. La part de rêve 67

6. Six mois plus tôt 81

7. Les quais de Seine 93

8. Les traces de l'absence 101

9. Les enfants de la dune 129

10. Funambules 135

11. Un matin… comme ça ! 159

12. Une petite lumière qui scintille 177

13. L'instant présent 187

14. Le temps de l'amour 197

15. Sur le chemin du hasard 213

16. Le dernier rendez-vous 225

17. Les cœurs anesthésiés 237

18. Le manuscrit inachevé 251

19. La lettre 273

20. Une promesse d'éternité 277

Remerciements 283

Partagez vos impressions sur ma page Facebook :
www.facebook.com/BrunoCombes

Pour me contacter :
bc-ecrivain@orange.fr

Composition PCA
44400 −Rezé

MARQUIS

Québec, Canada

Imprimé au Canada
Dépôt légal : juin 2016
ISBN : 978-2-7499-3035-0
LAF : 2257